CLIVE CUSSLER

VIN FIZ

Przekład
Radosław Januszewski

AMBER

Redakcja stylistyczna
Dorota Kielczyk

Korekta
Hanna Lachowska
Katarzyna Pietruszka

Projekt graficzny okładki © Gunta Alexander
Ilustracja na okładce © 2006 William Farnsworth
Zdjęcie autora © Rob Greer Photography
Reproduced by arrangement with Philomel Books,
a division of Penguin Young Readers Group,
a member of Penguin Group (USA) Inc.
All Rights Reserved.

Druk
POZKAL

Tytuł oryginału
The Adventures of Vin Fiz

ISBN 978-83-241-4462-4

Warszawa 2012. Wydanie I

Wydawnictwo AMBER Sp. z o.o.
02-952 Warszawa, ul. Wiertnicza 63
tel. 620 40 13, 620 81 62

www.wydawnictwoamber.pl

VIN FIZ

Bryce i Lauren, i Jasonowi, i Amie,
i Teri, i Dirkowi, i Daynie,
którzy czytali to pierwsi

1

Tajemniczy przybysz

W czasach, które jeszcze pamiętamy, była w Kalifornii mała urocza wioska zwana Castroville. Leżała w dolinie nieopodal Oceanu Spokojnego i zbudowana była na karczochach. Właściwie nie używano ich do budowy domów. Karczochy są za miękkie i nie da się z nich zrobić cegieł. To jadalne główki kwiatów, które się gotuje i zjada jako jarzynę. Jedni je lubią, inni nie. A niektórzy nazywają karczochy osobliwością – śmieszne słowo, które oznacza coś dziwnego – bo tak naprawdę to zlepione główki ostu i smakują tylko wtedy, kiedy zanurzy się je w smakowitym sosie.

VIN FIZ

Na wszystkich farmach wszystkie rodziny uprawiały karczochy... na prawie wszystkich farmach prawie wszystkie rodziny, ale nie wszystkie. Był pewien człowiek, który nie tańczył, jak mu zagrał karczochowy grajek. Ziemowit Dobrutki wolał uprawiać egzotyczne zioła i korzenie, cenione za ich wykwintny smak i piękne zapachy, i sprzedawał je w sklepach dla smakoszów i restauracjach w całym kraju. Na małej farmie – raptem dwadzieścia pięć hektarów – sadził i uprawiał lukrecję, miętę, trędownik, żeń-szeń i wiele innych różności. Jedyny problem polegał na tym, że nie miał dość ziemi, żeby na tym zarabiać. Jeden zły rok bez deszczu i Dobrutcy straciliby farmę.

Nazwisko Dobrutki brzmi trochę dziwnie, ale Ziemowit potrafił przedstawić historię swojej rodziny do pięciuset lat wstecz, do przodka zwanego Sobiepan – rzezimieszka grasującego na gościńcu w wesołej, starej Anglii. Pewnie chcielibyście wiedzieć, kim był rzezimie-

Tajemniczy przybysz

szek grasujący na gościńcu – to bandyta, który napadał na podróżnych i dyliżanse i zabierał mieszki z różnymi bogactwami. Założę się, że słyszeliście o Robin Hoodzie – to też rzezimieszek grasujący na gościńcu. Pan Dobrutki był człowiekiem poważnym, śmiał się rzadko, ale miał roziskrzone szare oczy, a krzywy uśmieszek przesuwał się w tę i z powrotem po wargach, jakby nie mógł zatrzymać się w jednej pozycji. Ziemowit Dobrutki chodził i mówił powoli. To myliło niektórych i sądzili, że jest tępy, gdy tak naprawdę był bardzo mądry. Tego dobrego, uczciwego człowieka znało całe Castroville z jego zamiłowania do uprawy ziół nadzwyczajnej jakości.

Ima Dobrutka była żoną Ziemowita i matką dwójki jego dzieci. W przeciwieństwie do męża była wesoła, zawsze chichotała, zabawiała dzieci śmiesznymi grami i dawała im ciasteczka upieczone ze słodkimi ziołami. Mała kobietka, roztrzepotana jak ptaszek skaczący po trawniku.

VIN FIZ

Wreszcie byli Pat i Patka, dziesięcioletnie bliźniaki, ale nie takie same, bo chłopiec i dziewczynka nie mogą być tacy sami. Pat miał włosy żółte jak nagietki – tak mówiła jego matka. Jego skrzące się zielone oczy rozglądały się na wszystkie strony, jakby ciągle czegoś szukały. Włosy Patki – złotobrązowe – lśniły w słońcu jak bursztyn, a oczy miała niebieskie jak jaja drozda.

Wszyscy mieszkali w piętrowym wiejskim domu, pod palmowym zagajnikiem, bez trawnika, bo każdy skrawek ziemi przeznaczyli pod uprawę szlachetnych ziół. Farmę zwano Lądownią Dobrutkich, ponieważ graniczyła z rzekami Pajaro i Salinas tam, gdzie wpadały do oceanu, w zatoce Monterey. To było wspaniałe miejsce do zabawy – woda, żeby pływać wpław i łódką, rzeki pełne ryb, żółwi i żab. W pobliżu biegły nawet tory kolejowe i dzieci mogły patrzeć na przejeżdżające pociągi i machać do maszynistów, którzy świstali parowymi gwizdkami, i do pasażerów, którzy zawsze odmachiwali.

Tajemniczy przybysz

Jakże bardzo chciały wsiąść do pociągu i pojechać w świat. Żadne z nich nie było dalej niż trzydzieści kilometrów od farmy. Z domu wyjeżdżały tylko na jeden czy dwa dni na kempingi w okolicy. Gdzieś tam był wielki ciekawy świat i pewnego dnia pragnęły go zobaczyć. Gdyby tylko znalazł się na to sposób.

Pat nie przepadał za szkołą. Prawda, szło mu nieźle, ale bardziej interesowało go wyszukiwanie i budowanie modeli samolotów i samochodów – ze sto takich zwisało z sufitu jego pokoju. Uwielbiał wszystko co mechaniczne i jeździł po farmie na małej hulajnodze z motorkiem. Nauczyciele wpisywali mu często do dzienniczka, co bardzo irytowało pana Dobrutkiego: „Pat śni na jawie i się nie przykłada".

Za to Patka uwielbiała szkołę. Sumiennie odrabiała lekcje i była naprawdę dobra w angielskim i matematyce. Po szkole tworzyła przepyszne przepisy na dania z ziołami z farmy i projektowała meble, które pan Dobrutki wykonywał i sprzedawał w mieście, kiedy już zasiał zioła.

Gdy przychodziła pora zbiorów, cała rodzina zakasywała rękawy, żeby zbierać zioła. Wszystko robili ręcznie, bez maszyn. Na farmie nie było zwierząt, nie licząc basseta o płaczliwych oczach i długich uszach, który wabił się Kłapciak.

Po odrobieniu lekcji Pat pomagał ojcu w zbiorach, a Patka pomagała matce w kuchni. Życie na farmie toczyło się zwykłym rytmem. Ale ostatnio coś dziwnego wyczuwało się w powietrzu i miało to coś wspólnego, jak się zdaje, ze stodołą.

Stodoły to fascynujące budynki, które mają własną duszę. Tę stodołę budował własnymi rękami dziadek Dobrutki z kamieni, które znalazł w pobliskich rzekach, aż w końcu stała się większa od domu! Po bokach były okna zakończone łukami, a na dachu, po obu stronach, fantazyjne kopuły. Na samej górze przycupnęła wskazująca kierunek wiatru chorągiewka w kształcie starego żaglowca. Wnętrze było wielkie i otwarte. Dźwigary i poprzeczki podpierały dach, jak to w stodole, z płaską częścią górną i stromą dolną. Stało w niej mnóstwo koszy, w których gromadzono zioła po zbiorach, dopóki rodzina nie zapakowała ich do worków i nie odesłała do sklepów.

Zapach schnących ziół unosił się i krążył po całej stodole, mieszał się w sto różnych wspaniałych aromatów, łaskoczących w nos każdego, kto je wdychał.

Ludzie zaczęli omijać farmę Dobrutkich, jakby ciążyła nad nią klątwa. Mieli uczucie, że coś jest niezupełnie w porządku, tak jak wtedy, kiedy dostali gęsiej skórki na ramionach. Prawie nikt jednak nie wiedział – włącznie z panem i panią Dobrutkimi – że nad domem i polem nie ciąży klątwa. To stodoła wydawała niezwykłe wibracje po tym, jak bardzo dziwny parobek odszedł po zbiorach. Ci, którzy wchodzili do stodoły, czuli, jak przechodzą ich ciarki. Ziemowit i Ima Dobrutcy po prostu się do tego przyzwyczaili. Tylko Pat i Patka znali tajemnicę stodoły.

Zaczęło się to rok wcześniej, kiedy wędrowny parobek zatrzymał się na farmie. Nadszedł drogą między polami ziół, prowadząc osła, który ciągnął mały, dwukołowy wózek przykryty czerwonym, cienkim brezentem. Zatrzymał się na podwórku od frontu, wszedł na ganek i zastukał do drzwi. Kłapciak przybiegł, szczekając głębokim głosem, jakby ktoś dął w róg. Nagle zatrzymał się i podszedł do przybysza, przysiadł, przechylił ze zdziwieniem łeb i gapił się, jak przyjazna ręka głaszcze go między uszami.

– Przedziwne – powiedział pan Dobrutki, który otworzył drzwi i wyjrzał na zewnątrz. – Ten pies nigdy nie dał się pogłaskać obcemu.

– Mam swoje sposoby na zwierzęta – odparł łagodnie przybysz.

– Czym mogę ci służyć, przyjacielu? – zapytał pan Dobrutki.

Tajemniczy przybysz

– Pomogę na farmie i w polu, jeśli potrzebujesz dobrych rąk do pracy.

Pan Dobrutki pokręcił głową.

– Przykro mi, nie mogę sobie pozwolić, żeby nająć parobka. Czasy są ciężkie, a ja mam za mało ziemi, żeby móc zapłacić.

– Nie wezmę pieniędzy. Będę pracować za darmo, jeśli dasz mi jeść i miejsce do spania.

Cóż, Ziemowit Dobrutki był dumny z tego, że zajmuje się farmą tylko z pomocą żony i dzieci, ale tej propozycji nie mógł odrzucić, tym bardziej że zioła należało zebrać już za kilka dni, a on potrzebował każdego centa, żeby wyżywić rodzinę. Zalegał też dwa miesiące ze spłatą pożyczki wziętej pod zastaw farmy i bał się, że odbiorą mu uprawiane w ciężkim trudzie pole, które należało do jego rodziny od czterech pokoleń.

– Weź go – powiedziała Ima Dobrutka, przyglądając się przybyszowi, chudemu jak pień wysokiej palmy. – Nie wygląda na to, żeby dużo jadł.

VIN FIZ

Przyda się dodatkowa para rąk, pomyślał pan Dobrutki. Był dobrym człowiekiem i zlitował się nad przybyszem, tak wymizerowanym, jakby nie jadł od ostatnich walentynek. Bliźniaki jeszcze nigdy nie widziały kogoś takiego jak przybysz. Był wysoki, prawie trzydzieści centymetrów wyższy od ich ojca, a jego twarde ręce z długimi, kościstymi palcami zwisały niemal do kolan. Poruszał się równie szybko, jak wolno poruszał się Ziemowit Dobrutki. Obracał głową na prawo i lewo, bujając długą siwą brodą w tę i z powrotem, jak huśtawką. Ale jego czarne oczy patrzyły wprost przed siebie z siłą reflektorów samochodowych.

Zdaniem Patki i Pata wyglądał jak słabo wypchany strach na wróble.

Nie tylko wygląd dziwił Dobrutkich w tym niezwykłym przybyszu. Jego osioł był tak biały jak jedno z prześcieradeł pani Dobrutkiej, a wózek, do którego został zaprzężony, był pomalowany błyszczącą złotą farbą.

Tajemniczy przybysz

Zapytany o nazwisko, przybysz odparł:

– Mówią do mnie Sukoh Sukop.

– Dziwne nazwisko – powiedział Ziemowit Dobrutki.

– Jedyne, jakie mam – odparł Sukop.

– Możesz jeść ze mną i z rodziną, ale spać będziesz w stodole. I pamiętaj, nie zapalaj żadnych lamp ani świec. Nie chcę, żeby mi się stodoła spaliła.

Sukop popatrzył na kamienne ściany i pokręcił głową.

– To chyba nie grozi.

Ziemowit Dobrutki pokazał głową wózek.

– Dam ci miejsce do spania i wyżywienie za to, że będziesz zwoził do stodoły zioła swoim wózkiem.

Sukop uśmiechnął się i poklepał osiołka.

– Słyszysz to, panie Barwinek? Ci dobrzy ludzie będą nam odpłacać się za to, że zwieziemy ich zbiory z pola.

Pan Barwinek uniósł łeb i zaryczał.

VIN FIZ

Potem, bez słowa, Sukop ruszył do stodoły, a za nim Kłapciak, który wyraźnie go polubił, i pan Barwinek, ciągnąc za sobą wózek.

Patka się roześmiała.

– Czy żadne z was nie zrozumiało jego nazwiska?

– Jest głupie i tyle – stwierdził Pat, patrząc na Sukopa, dopóki ten nie zniknął w wielkich drzwiach stodoły.

– Nie znam nikogo takiego w całej okolicy. – Pan Dobrutki wzruszył ramionami.

– Sukoh Sukop to hokus-pokus wspak – oznajmiła triumfalnie Patka, bo okazało się, że jest mądrzejsza niż reszta rodziny.

Pani Dobrutka rozprostowała fartuch.

– Nie do wiary. Nic dziwnego, że mówił nazwisko od tyłu.

Pat nie był pewien, czy przybysz mu się podoba. Często myślał o różnych sprawach całe minuty, godziny, nawet dni, zanim podjął decyzję i wyciągnął logiczny wniosek. Ale uznał, że

Tajemniczy przybysz

pan Sukop nie jest groźny i że będzie go trak-
tować uprzejmie. W końcu Ziemowit Dobrutki
zawsze powtarzał dzieciom, że uprzejmość nic
nie kosztuje.

2

Cudowności

Przez następne dwa miesiące pan Dobrutki i Sukoh Sukop zbierali zioła, zwozili je do stodoły, potem ładowali lukrecję, miętę, żeń-szeń do specjalnych koszy, aż stodoła przepełniała się cudownymi zapachami. Patka i Pat pomagali po szkole i szybko zaprzyjaźnili się z panem Barwinkiem, którego prowadzili do stodoły z wózkiem wyładowanym po brzegi ziołami, a potem znów na pole po kolejny ładunek. Wieczorami, po odrobieniu pracy domowej, bliźniaki słuchały niezwykłych opowieści Sukopa, który traktował je jak własne dzieci.

Cudowności

Dni były ciepłe i przyjemne, niebo bez-
chmurne, nie padał deszcz, tylko wcześnie rano
snuła się mgła, która nadciągała znad oceanu.
Ale to wieczory były tajemnicze. Po kolacji Sukop szedł do stodoły, gdzie podłączył mały ge-
nerator i światła świeciły się całą noc. Wkrótce
starą stodołę otoczył mistyczny poblask. Sąsie-
dzi, którzy przechodzili pobliską drogą, często
rozmawiali o niezwykłym świetle sączącym się
przez okna stodoły.

W czasie wolnym od pracy w polu Sukop
znikał w stodole i nie wychodził aż do świtu.
W jednym z rogów zbudował tam zamknięty
warsztat z wielkim stołem. Mimo ciekawości
dzieci bały się wchodzić do stodoły, kiedy Sukop był w środku. Ojciec nawet przestrzegł je,
żeby trzymały się z dala od parobka i szanowa-
ły jego prywatność. Przykładały uszy do wrót,
które – co dziwne – zaczęły być zamykane, nie
licząc chwil, kiedy zwożono, a potem pakowano
zioła. Ale słyszały tylko nieokreślone brzęczące

i pluszczące dźwięki. Potem cisza, potem znów brzęczenie i pluskanie. Czasami trwało godzinę, zanim znów ucichło. Nie miały zielonego pojęcia, co robi ich nowy przyjaciel. Nawet kiedy podczas pracy, za dnia, pozwalano im wejść do stodoły, na drzwiach do warsztatu w rogu, z nowo pobudowanymi ścianami, wisiała kłódka z brązu. Cokolwiek się działo w środku, było dla dzieci zagadką. Zaczęły podejrzewać, że Sukop ma jakąś głęboką, mroczną tajemnicę, której nie chce ujawnić.

W końcu kiedy zioła zostały zebrane z pola, zapakowane i wysłane na sprzedaż, pewnego ranka Sukoh Sukop oznajmił panu Dobrutkiemu, że nadszedł czas, żeby ruszać w dalszą drogę.

– Przykro nam, że odchodzisz – powiedział Ziemowit Dobrutki.

– Będziemy za tobą tęsknić – dodała Ima Dobrutka.

Patka i Pat stanęli obok siebie i po raz ostatni głaskali pana Barwinka.

24

Cudowności

– Wrócisz na następne zbiory? – zapytała Patka.

Sukop pociągnął się za długą, siwą brodę i się uśmiechnął.

– Nigdy nie wiem, dokąd zawędruję. Pan Barwinek i ja po prostu idziemy drogą, póki się nie skończy, a potem skręcamy w drugą, póki i ta się nie skończy. Jeśli drogi powiodą nas wkoło i dotrzemy tutaj ponownie, będziemy szczęśliwi, mogąc znowu dla was pracować i zbierać zioła.

Ziemowit Dobrutki próbował wcisnąć Sukopowi trochę pieniędzy jako nagrodę, ale parobek włożył obie ręce do kieszeni.

– Mogę wziąć tylko to, na co się umówiliśmy – powiedział. – Ale dziękuję serdecznie. – Popatrzył na Patkę i Pata. – Zanim odejdę, chcę wam coś pokazać.

Sukoh Sukop z bardzo tajemniczą miną wszedł do stodoły. Dzieci szły w ślad za nim, a obok pana Barwinka biegł Kłapciak. Sukop zatrzymał się przed zamkniętym warsztatem, poszperał w kieszeni, wyciągnął klucz i otworzył drzwi.

Sukop nacisnął mały przełącznik na ścianie i ciemny warsztat zalało światło we wszystkich kolorach tęczy. W środku było pusto – swoje rzeczy już załadował na wózek. Na ścianach i stole nie było narzędzi, nie licząc małego miedzianego pudełka z dwiema wystającymi dźwigniami. Poza pudełkiem dzieci zobaczyły tylko wielką kwadratową matę na podłodze, która połyskiwała w magicznym świetle. Z kieszeni kombinezonu Sukoh Sukop wyjął zabawkę i postawił ją na macie. Był to mały, ręcznie zrobiony model jego wózka.

– Teraz patrzcie uważnie – powiedział miarowym głosem, uśmiechając się szeroko. – Zobaczycie coś, czego jeszcze nigdy nie widziałyście.

Nacisnął lewą dźwignię na pudełku.

Cudowności

Powoli, bardzo powoli, mały wózek zabawka zamigotał i się roziskrzył. Potem pojawiła się smużka czegoś, co wyglądało jak purpurowy dym, ale tak naprawdę było gęstą mgłą. Mgła kręciła się i wirowała prawie minutę, potem rozprysnęła się w fontannę maleńkich, lśniących gwiazdek.

Nagle wózek zabawka zaczął jakby rosnąć i rosnąć, aż zrobił się taki duży jak prawdziwy wózek Sukopa.

Patka i Pat mieli oczy wielkie jak talerze na stole obiadowym pani Dobrutkiej.

Ze zdumienia stali jak wrośnięci w ziemię, aż wreszcie zaczęli podskakiwać z emocji. Kiedy się uspokoili, przez chwilę zastanawiali się, czy ich oczy nie mylą.

Sukop jakby czytał w ich myślach.

– Prawdziwy – oznajmił spokojnie. – Podejdźcie i sprawdźcie.

Patka bała się, ale Pat, który chciał pokazać siostrze, jaki jest odważny, zbliżył się do wózka i ostrożnie dotknął palcem koła. Szybo cofnął dłoń, potem znów sięgnął i przejechał ręką po szprychach.

– Prawdziwy – sapnął. – Czuję to.

Nadal nie całkiem przekonany, nagle się odwrócił i popatrzył na wrota stodoły. Pomyślał, że Sukop, korzystając z mgły, jakoś wtoczył swój wózek do środka. Wybiegł na zewnątrz. Wózek nadal tam stał, zaprzęgnięty do pana Barwinka, a obok siedział Kłapciak z wywieszonym jęzorem.

Pat wrócił, oszołomiony, popatrzył na drugi wózek, potem na Sukopa.

– Jak to zrobiłeś? – spytał.

– Czary – odparł spokojnie Sukop.

– To musi być jakaś magiczna sztuczka – stwierdziła Patka.

Sukop poważnie pokręcił głową.

– Żadnych sztuczek. Przekazałem wam obojgu tajemnicę czarów. Żeby mała zabawka zrobiła się duża, wystarczy, że położycie ją na ma-

Cudowności

cie i popchniecie lewą dźwignię magicznego pudełka. Potem musicie z całego serca wierzyć, że wasza zabawka stanie się tak prawdziwa, jak samo życie.

– A do czego jest prawa dźwignia? – zastanawiał się Pat, usiłując ogarnąć to własnym wnikliwym umysłem.

– Sprawia, że rzeczy znów maleją. Popatrzcie. – Przesunął dźwignię i wózek, w chmurce purpurowej mgiełki, znów zrobił się mały.

Patka objęła Sukopa ramionami – właściwie to nie dała rady objąć go całego w pasie – i przytuliła się do niego.

– Dziękuję, dziękuję, to cudowny prezent.

Pat próbował zachować się jak dorosły, podał Sukopowi rękę.

– Jak my zdołamy ci się kiedykolwiek odwdzięczyć?

Sukop się uśmiechnął.

– Korzystajcie z prezentu tylko w dobrej sprawie, a wystarczy wam na całe życie. Ale gdybyście użyli go do czegoś złego, zniknie w kłębach czerwonego dymu.

– Nie, nie! – krzyknęły dzieci jednym głosem. – Nigdy nie użyjemy tego do złych rzeczy.

– I pamiętajcie: kiedy skończycie zmieniać dowolną zabawkę, możecie ją znowu zmniejszyć.

– A jeśli tego nie zrobimy, to już zawsze będzie duża? – zapytała Patka.

– Wtedy zostanie jak prawdziwa rzecz – zapewnił Sukop. – I jeszcze jedno. To nasza tajemnica. Nikt nie może się dowiedzieć o tej magii.

– Nawet nasza mama i tata?

Sukop przejechał dłonią po jej złotobrązowych włosach.

– Nawet twoja mama i tata, bo zaklęcie zniknie i nigdy nie powróci. Kochajcie i pielęgnujcie tę tajemnicę, a zostanie z wami, dopóki oboje nie dorośniecie.

– Potem nie? – zapytał Pat.

Sukop powoli pokręcił głową.

Cudowności

– Wtedy będziecie marzyć o czymś innym, a tajemnica wyblaknie w waszych umysłach.

Odwrócił się na pięcie i wyszedł ze stodoły. Nawet nie spojrzał za siebie, kiedy wraz z panem Barwinkiem ruszał w drogę.

Patka i Pat patrzyli ze łzami smutku, aż ich przyjaciel przeszedł przez pola i zniknął im z oczu.

– I co teraz? – odezwała się wreszcie Patka, wycierając łzy.

Pat myślał przez chwilę, potem oczy mu się rozjaśniły, a na twarzy pojawił się szeroki uśmiech.

– Sprawdźmy, czy nam ta magia zadziała. Mam pomysł. Poczekaj tutaj.

Pobiegł do domu i kilka minut później wrócił. W ręku trzymał mały czerwony traktorek, którym bawił się w piaskownicy na tyłach domu.

– Zrobimy prawdziwy traktor dla taty i powiemy, że zostawił go pan Sukop.

Patka klasnęła w dlonie.

VIN FIZ

– Cudownie. Tata bardzo się ucieszy. I dostanie coś, co stale będzie mu przypominało pana Sukopa.

– Przynajmniej tyle możemy zrobić – powiedział Pat.

Szybko postawili traktorek na magicznej macie. Zabawka miała małe żółte koła z przodu, a duże z tyłu, maleńką kierownicę i tycie siedzenie dla kierowcy. Pod otwartą maską lśnił pomalowany na srebrno silnik.

Pat wziął miedziane pudełko i popatrzył na Patkę.

– Gotowa?

– Tak, tak. Na pewno wiesz, którą dźwignię pociągnąć?

– Mówił, że lewą.

Pat był podekscytowany i już nie mógł doczekać się wyniku. Szarpnął dźwignię i wstrzymał oddech. Maleńki traktor zaświecił, roziskrzył się, a potem buchnęła gęsta, kłębiasta, wirująca purpurowa mgła.

Cudowności

Ale nic innego się nie stało. Traktor zabawka nadal był traktorem zabawką.

– Na pewno przesunąłeś niewłaściwą dźwignię – stwierdziła Patka.

Pokręcił głową.

– Nie, coś nie działa. Może to jednak była zwykła sztuczka.

– Pan Sukop powiedział, że musimy wierzyć z całego serca. To musi być to. My nie wierzyliśmy. Spróbujmy jeszcze raz, ale teraz musimy wierzyć, że traktor zamieni się w prawdziwy.

Zamknęli oczy i pragnęli, pragnęli, pragnęli z całego serca, żeby mały traktor urósł do rozmiarów dużego. Nie czuli wilgotnej mgły ani nie słyszeli gwiaździstych wybuchów, w ogóle niczego nie słyszeli poza gruchaniem gołębicy moszczącej się w gnieździe wysoko na belkach. Po minucie powoli otworzyli oczy.

I oto pośrodku stodoły, na magicznej macie, stał duży traktor z żółtymi kołami.

VIN FIZ

Patrzyli na pojazd z radością i zachwytem. Chodzili wokół jak zaczarowani, przyglądali się każdemu bolcowi, każdej śrubie i nakrętce, dotykali brązowej skóry na siedzeniu i błyszczącej przykrywy chłodnicy z okrągłym termometrem za małym szklanym okienkiem.

– Udało się! – zawołała Patka. – Magiczne pudełko działa tak, jak powiedział pan Sukop.

Pat wspiął się na traktor, usiadł na brązowym skórzanym siodełku i chwycił wielką kierownicę.

– Ciekawe, czy naprawdę chodzi.

– Wiesz, jak go włączyć?

Gwałtownie pokiwał głową, jakby pytanie go zezłościło.

– Oczywiście. To proste. Przekręca się kluczyk w stacyjce, włącza ssanie i naciska się guzik rozrusznika. – Wykonał wszystkie trzy czynności i rozrusznik zaterkotał, włączając wielki czterocylindrowy silnik. A potem przez tłumik w pionowej rurze wydechowej rozległ się ryk.

34

Cudowności

Silnik zaczął dudnić wszystkimi czterema cylindrami. Śmieszna, mała przykrywka zabezpieczająca rurę wydechową przed deszczem, kiedy padało, podnosiła się i opadała na zawiasach.

Pat zachowywał się tak, jakby jeździł traktorem codziennie, rozpromieniony niczym latarnia morska.

– Wsiadaj, Patko, podjedziemy do domu, żeby mama i tata to zobaczyli.

– O nie, ja nie jadę. Jesteś pewien, że potrafisz to prowadzić? – zapytała z powątpiewaniem. – Ledwie sięgasz stopami do pedałów.

– To proste, mówię ci. Wystarczy, żebym wrzucił bieg i puścił sprzęgło. – Mówiąc to, Pat ledwie dotknął sprzęgła dużym palcem u nogi. Potem drugą stopą nacisnął pedał gazu. A że zapomniał wyprostować kierownicę, z przerażeniem patrzył, jak traktor wyrwał do przodu i przebił się przez wrota stodoły.

VIN FIZ

Patka, teraz naprawdę zaniepokojona, wybiegła przez dziurę we wrotach i pognała za traktorem, który pędził w stronę domu. Pat rozpaczliwie przerzucił dźwignię biegów na luz i z całej siły nacisnął hamulec. Traktor zatrzymał się niecałe dwa metry od schodków na ganek. Ima Dobrutka była w połowie przygotowywania obiadu, a Ziemowit Dobrutki mył twarz i ręce po tym, jak cały ranek sadził zioła. Usłyszeli huk, wybiegli z domu i zobaczyli, jak Pat złazi z traktora z przestraszoną miną. Zdumieni Dobrutcy nie potrafili pojąć, co się dzieje. Po prostu nagle, ni stąd, ni zowąd pojawił się traktor.

– Skąd się to wzięło? – zapytał pan Dobrutki.

– Czyje to? – dodała pani Dobrutka.

– To podarunek od pana Sukopa – wyjaśnił Pat.

– Prawda, że ładny? Teraz jest nasz – powiedziała Patka.

Pan Dobrutki ze zdumieniem pokręcił głową.

Cudowności

– Pan Sukop nam to dał? Nie do wiary. On nie miał pieniędzy, żeby kupić taką wspaniałą maszynę. Na pewno ją ukradł.

– Och nie! – krzyknęły bliźniaki chórem. – On tego nie ukradł. My to wiemy.

– Zrobił go z części innych traktorów – oznajmił Pat zadowolony, że nie skłamał.

– Dzieci, jesteście tego pewne? – zapytał pan Dobrutki.

– O tak – odpowiedziały razem. – Pracował nad tym wieczorami, w warsztacie, który zbudował w stodole.

Ziemowit Dobrutki wzruszył ramionami i zwrócił się do żony.

– Hm, cóż, więc myślę, że musimy podziękować panu Sukopowi. Pracował całymi wieczorami, żeby zrobić nowy traktor, którego od dzisiaj możemy używać w polu.

Dobrutcy pokochali swój traktor. Pan Dobrutki kursował nim po drodze w tę i z powrotem, dojechał do miasta, żeby pochwalić się

VIN FIZ

przyjaciołom i sąsiadom. Ani on, ani pani Dobrutka nie spostrzegli, że Pat już więcej nie bawił się w piaskownicy swoim małym traktorem.
Nie zauważyli też, że traktorek gdzieś zniknął.

3

Magiczny „Vin Fiz"

Przez kolejne dwa miesiące Patka i Pat nie ruszali magicznego pudełka i nie powiększali zabawek. Bali się, że nadużyją czarów, i postanowili wykorzystać je tylko wtedy, kiedy okaże się to potrzebne.

Wiosenne zbiory przyszły i przeszły. Nastało lato i skończyła się szkoła. W gorące, słoneczne dni dzieci bawiły się na polach, chlapały w rzece i pływały na materacu, który ojciec kupił im w sklepie w mieście. Łowiły też ryby. Często udawało im się złapać suma i przynosiły go do domu na obiad.

VIN FIZ

Pewnego wczesnego poranka, zanim kogut zapiał, a niebo od wschodu ledwo zaczęło się rozjaśniać, Pat zakradł się do pokoju Patki i ją obudził.

– O co chodzi? – zapytała sennie. – Co robisz tak wcześnie?

– Wstawaj i ubieraj się – wyszeptał. – Muszę ci coś pokazać.

– A mama i tata?

– Nie chcę, żeby się dowiedzieli.

Patka, z głową zamroczoną snem, ubrała się po cichu i poszła za bratem. – Najpierw po schodach do salonu, potem przez drzwi na ganek i przez podwórko do stodoły. Ojciec naprawił wrota, przez które Pat przebił się traktorem, i wyglądały jak nowe. Kłapciak biegł za nimi, ziewając, bo tak wcześnie go obudzono.

Czerwony traktor z żółtymi kołami stał w kącie stodoły, czysty i lśniący. Pan Dobrutki zawsze wycierał go z kurzu po jeździe i utrzymywał w takiej czystości jak pani Dobrutka swoją kuchenkę.

Magiczny „Vin Fiz"

– No i co to za tajemnica, że zaciągnąłeś mnie tu bladym świtem? – zapytała Patka.

Nie odpowiedział, tylko podszedł do zbudowanego przez Sukoha Sukopa stołu warsztatowego, na którym pod szmatką coś stało. Zdjął szmatkę i uniósł przedmiot.

– Co to jest? – zapytała Patka.

– Model samolotu braci Wright – odparł. – Sam go zrobiłem.

Podeszła bliżej i przyjrzała się małemu modelowi. Wydał się jej śmieszny. Wcale nie przypominał samolotów, które przelatywały nad domem. Wyglądał jak staroć, która nigdy nie oderwie się od ziemi. Przyglądała się dwóm skrzydłom i dziwacznemu silnikowi. Od silnika napędzającego śmigło biegły dwa wąskie łańcuchy. Skrzydła i konstrukcja nośna były jaskrawożółte z wymalowanymi zielonymi literami. Maszyna miała dwa zestawy po dwa koła, przymocowane do nartopodobnych szyn wystających z przodu samolotu.

VIN FIZ

– Co to za napis? – zapytała.

– Nazwa.

– I jak go nazwałeś?

Pat popatrzył z dumą na swoje dzieło.

– „Vin Fiz". Od mojego ulubionego napoju gazowanego z winogron.

– Ale głupia nazwa – mruknęła Patka. – Co masz zamiar z tym zrobić?

– Powiększyć, oczywiście.

– Ale po co?

Pat popatrzył na siostrę, jakby już podjął decyzję.

– Żeby przelecieć przez kraj i zobaczyć te wszystkie widoki, o których tylko marzyliśmy.

Zanim Patka zdążyła zaprotestować, położył mały model na magicznej macie. Powstrzymała go, kiedy już miał pociągnąć dźwignię.

– Czekaj! – zawołała głośno.

– Co jest? – zapytał zaskoczony Pat.

– Skrzydła... – Jak to powiększysz, nie damy rady wytoczyć go przez wrota.

Magiczny „Vin Fiz"

Pat popatrzył na siostrę z głębokim szacunkiem.

– Masz rację – przyznał.

Wyniósł model i magiczną matę na zewnątrz i położył je na trawie. Potem przesunął lewą dźwignię i pragnął z całych sił. Teraz bliźniaki uwierzyły z całego serca w magię pudełka.

Po spodziewanym pokazie mgły i świateł zmaterializował się – to znaczy: stał się prawdziwy – naturalnej wielkości samolot braci Wright. Lśnił w słońcu poranka.

Patka stała zdumiona.

– Oczywiście nie zamierzasz tym latać.

– Jasne, że zamierzam – odpowiedział Pat. – Zbudowałem nawet siedzenie dla ciebie i pudło dla Kłapciaka.

– Kiedy nauczyłeś się latać? – zapytała złośliwie.

– Oglądałem rysunki w podręczniku wydanym przez braci Wright. Dokładnie pokazują, jak latać ich samolotem. Poza tym jestem całkiem pewien, że zaczarowany samolot będzie latał prawie sam. No, pomóż mi wypchnąć go na drogę.

„Vin Fiz" – choć wydawał się wielkim gratem – był lekki i toczył się gładko na czterech kołach i płozach. Skrzydła bez trudu zmieściły się między palmami rosnącymi wzdłuż drogi. Tak jakby magiczne pudełko wiedziało, jakie rozmiary powinien mieć samolot. Kiedy pchali, Kłapciak biegał w kółko i obwąchiwał silnik pachnący olejem i benzyną. Patka odnosiła wrażenie, że Kłapciak czekał, aż poleci.

Słońce ledwie wschodziło nad pola z ziołami jak wielka pomarańczowa piłka. Pat nagle o czymś sobie przypomniał.

– O rany. Zaraz wracam.

Pobiegł do domu, po cichu wszedł po schodach do swojej sypialni i ze świnki, którą trzymał w szafie, wyjął uzbierane pięć dolarów. Potem wpadł do kuchni, otworzył lodówkę i zabrał butelkę. Kiedy wrócił, podniósł ją wysoko, pokazując purpurowy napój gazowany.

Magiczny „Vin Fiz"

– Vin Fiz dla „Vin Fiza" – powiedział z dumą i przywiązał butelkę do wspornika skrzydła. – Teraz wszyscy na pokład – rozkazał, układając Kłapciaka na poduszce w pudle dla psa.

– Ja nie wiem, czy chcę – powiedziała z wahaniem Patka. Z obawą patrzyła na drewniane wsporniki i cienkie płótno na skrzydłach i konstrukcji nośnej.

– Wydaje się za kiepski, żeby latać.

– Nie bądź tchórzem – roześmiał się Pat. – Jest całkowicie bezpieczny. Zobaczysz.

– Jak wystartujemy?

– Ja kręcę jednym ze śmigieł, żeby uruchomić cylindry. Ty obsługujesz manetkę, która podaje benzynę do silnika.

Wbrew rozsądkowi Patka zajęła miejsce i znalazła manetkę. Potem obróciła małą dźwigienką, która włączała stacyjkę.

– Jestem gotowa, czekam na ciebie – oświadczyła nadal przestraszona, że będzie latać taką dziwaczną maszyną.

VIN FIZ

Pat złapał za jedną z długich łopat, które przypominały wiosło, i nią zakręcił.

Rozległo się krótkie terkotanie, a potem cisza. Obrócił śmigło jeszcze raz i jeszcze raz. Nic. Wreszcie szarpnął z całej siły, silnik zastukał raz, drugi, trzeci i cztery cylindry zaskoczyły. Pat zadowolony, że wszystko działa, tak jak się spodziewał, obiegł samolot i wskoczył na miejsce pilota. Dał Patce dwie pilotki i gogle. Jeden zestaw dla niej, a drugi dla Kłapciaka. Potem sam założył pilotkę i poprawił sobie gogle.

– Zapnij pas i sprawdź, czy Kłapciak jest bezpieczny – polecił.

Silnik grzechotał i stukał, zanim się rozgrzał. Potem wyrównał obroty i zaczął wyrzucać spaliny w rytmie ratata-ta-ta. Samolot nie miał hamulców, więc Pat po prostu obrócił manetkę i maszyna zaczęła toczyć się drogą. Zdumiewające, ale Ziemowit i Ima Dobrutcy spali mimo hałasu na podwórku. Ima zawsze zamykała okna do sypialni, bo nie lubiła wilgotnego powietrza nawiewanego znad pobliskiego oceanu.

Z początku bardzo powoli „Flyer" Wrightów, jak początkowo maszyna się nazywała, pełzł naprzód. Wkrótce „Vin Fiz" się rozpędził i zaczął jechać coraz szybciej i szybciej. Pat chwycił za stery – dwie pionowe dźwignie wystające po obu stronach jego siedzenia. Wiatr świstał między wspornikami, poprzeczkami i drutami, kiedy samolot pędził po wyboistej wiejskiej drodze. Potem Pat pociągnął do tyłu za stery i „Vin Fiz" skoczył w powietrze, zostawiając za sobą wielką chmurę kurzu.

4

Rozpoczyna się długa podróż

„Vin Fiz" wznosił się coraz wyżej i wyżej, aż pola ziół zniknęły, jak zielony koc zaciągnięty za brzeg łóżka. Pat i Patka przeskoczyli z dwuwymiarowego świata na ziemi do trzeciego wymiaru nieba i powietrznej przestrzeni. Teraz mogli poruszać się do góry, na dół, w każdym kierunku, jak tylko zapragnęli. Kiedy Pat przelatywał nad wioską Castroville, Patce tak mocno biło serce, że myślała, że wyskoczy jej z piersi.

Budynki i samochody wyglądały jak zabawki, które mogłaby podnieść z ulicy.

Rozpoczyna się długa podróż

Wszystko było bardzo małe. Po raz pierwszy zobaczyła dachy. Dla ludzi na ziemi, którzy podnosili wzrok, słysząc warkot silnika, „Flyer" Wrightów wyglądał jak żółty ptak na tle błyszczącego niebieskiego nieba, podświetlony jaskrawym złotym słońcem.

Z początku samolot nurkował i huśtał się z boku na bok, dopóki Pat nie opanował lepiej sterów. Szybko wyrównał i gładko prowadził maszynę przez przestrzeń, jakby latał od lat. Zatoczył koło nad Castroville, a potem skierował się na zachód, w stronę odległego tylko o półtora kilometra Oceanu Spokojnego. Lecieli nad szerokimi, białymi piaszczystymi plażami, omywanymi przez zielone fale napływające z morza. Woda i niebo łączyły się w jasnym błękicie, promieniejącym jak ogromny szafir. Pojawiło się stadko mew. Leciało obok „Vin Fiza", gapiąc się z zaciekawieniem paciorkowatymi oczami na dziwną, zrobioną przez człowieka maszynę, która lata po ich niebie.

Kłapciak szczekał na nie, ale ledwie mogły go usłyszeć przez hałas silnika i świst śmigieł. W końcu, kiedy nie zdołały rozpoznać, co to za dziwny ptak z ogromnymi skrzydłami, odleciały i poszybowały w stronę wody w poszukiwaniu posiłku.

Serce Patki znów zaczęło normalnie bić, kiedy strach opadł. Wtedy zaczęła cieszyć się lataniem.

– Dokąd lecimy?! – krzyknęła przez hałas z rur wydechowych.

– Przez cały kraj, do Nowego Jorku! – odkrzyknął Pat.

– To chyba strasznie daleko, co?

– Tak, ale zawsze możemy zajrzeć za kolejny horyzont, żeby zobaczyć, co za nim jest.

– Skąd będziemy wiedzieli, jak tam dolecieć? – pytała coraz bardziej zdumiona.

Pat wyjął z kieszeni złożony kawałek papieru i wręczył go siostrze.

– Oto mapa. Ja steruję, ty nawigujesz.

Rozpoczyna się długa podróż

– Co powiedzą mama i tata, kiedy nie zjawimy się na śniadaniu?

Pat się uśmiechnął.

– Na poduszce zostawiłem wiadomość, że nie będzie nas przez jakiś czas, bo wybieramy się na krótką wycieczkę z biwakiem. Nie pogniewa się. Tyle razy już to robiliśmy.

– Ale nigdy nie wybieraliśmy się dalej niż dwa kilometry – zaprotestowała Patka. – Wyprawa do Nowego Jorku to raczej nie jest krótka wycieczka z biwakiem.

– „Vin Fiz" jest szybki – odparł Pat. – Wrócimy do domu, zanim się zorientujesz.

Sięgnęła do kieszeni i wyjęła małą, czerwoną skórzaną książeczkę z ołówkiem.

– Dobrze, że zabrałam swój pamiętnik. Mogę zapisywać wszystkie wydarzenia – powiedziała, nastawiając się na przygodę.

Pat przechylił samolot, żeby ustalić kurs na północny wschód. Pola karczochów rozpościerały się pod nimi jak ogromny dywan. Potem pojawiły się farmy z San Joaquin Valley i zanim się zorientowali, lecieli nad górami Sierra Nevada wprost do Parku Narodowego Yosemite. Patka i Pat z zachwytem patrzyli na widowiskowy krajobraz, na wysokie, nagie skały urwiska Half Dome i El Capitan, które wznosiły się nad płaską doliną, pełną kolorowych polnych kwiatów i barwnych roślin. Przelecieli obok wodospadów Yosemite i Bridalveil – woda, w białej mgiełce ozdobionej tęczami, spadała strumieniami dziesiątki metrów na dno doliny.

Kłapciak szczekał na niedźwiedzia, który patrzył na nich w górę, i na pędzące stado jeleni wystraszone przez dziwnego ptaka. Głośne terkotanie silnika odbijało się echem w całej dolinie, między skalistymi ścianami. Przez kilka kilometrów leciał obok nich złoty orzeł. Z wdziękiem szybował nad „Vin Fizem", zanim zanurkował w dolinę.

Potem znaleźli się nad gigantycznymi sekwojami, wyrastającymi na prawie sto metrów od ziemi. Największe z wszystkiego co żyje, miały tysiące lat.

Zostawili góry za sobą. Pat obniżył lot i wleciał nad pustynię Mojave, a potem do Newady. Okryte kwiatami krzewy, dębowe lasy, sosny i cedry zniknęły, ziemia zrobiła się brązowa, bez krzty zieleni. Widzieli tylko całe kilometry ogromnej suchej równiny, przecinanej od czasu do czasu skalistymi pagórkami, na której rosły rzadkie kępy bylic. Między nimi a horyzontem rozpościerało się dzikie pustkowie.

– Jestem głodna! – krzyknęła Patka.

– Już? Nie minęło nawet południe.

– Nie jedliśmy śniadania.

– Poszukaj na mapie najbliższego miasta. Wylądujemy i znajdziemy jakieś miejsce, żeby coś zjeść.

Rozwinęła mapę i znalazła miasteczko usadowione samotnie pośrodku pustyni.

– Skręć w prawo. Miasto jest bardzo blisko.

Pat pokazał przed siebie.

VIN FIZ

– Widzę je, tam, u podnóża tego wielkiego pagórka.

Ostrożnie manewrował sterami, ale „Vin Fiz" leciał, jakby sam miał rozum – zaczął szybować powoli w dół, w stronę głównej ulicy miasta. Niewiele się różniła od szerokiej wiejskiej drogi; bruku nie było widać. Koła łagodnie dotknęły ziemi. Samolot potoczył się z piętnaście metrów i zatrzymał przed dużym, piętrowym budynkiem z napisem „Hotel Złotkowo". Razem podnieśli gogle i się rozejrzeli. Wydało im się bardzo dziwne, że nikt nie wyszedł, żeby gapić się na samolot lądujący na głównej ulicy. Wokół panowała niezrozumiała cisza. Nawet Kłapciak nie szczekał.

– Gdzie podziali się ludzie? – zdumiała się Patka.

– Wygląda na opuszczone – powiedział Pat.

– Dla mnie tu jest po prostu strasznie.

– Wiem. – Pata nagle olśniła pewna myśl. – Musieliśmy wylądować w samym środku starego miasta widma.

Rozpoczyna się długa podróż

A jednak nie wyglądało ono na stare, zniszczone albo podupadłe miasto widmo. Drewniane chodniki przed budynkami były czyste, a po ulicach nie walały się śmieci. Owszem, szkoła i kościół pilnie wymagały remontu, ratusz i miejski areszt też, ale domy były porządne i świeżo malowane.

Patka odpięła pas bezpieczeństwa, wyskoczyła z samolotu, podeszła do witryny sklepu z rozmaitościami i zajrzała do środka.

– Półki i lada są zastawione różnymi rzeczami – oznajmiła, potem ostrożnie pchnęła drzwi i zrobiła tylko jeden krok do środka. Wystawiono tam nowe przybory kuchenne, czyste i błyszczące. Na wieszakach wisiały ubrania, a puszki z żywnością stały w równych rzędach na półkach. Nie zobaczyła ani śladu kurzu czy pajęczyn, których można by się spodziewać w porzuconym mieście widmie.

Wszystko to było niesamowite.

Pat pokazał na szyld restauracji obok hotelu.

– Może tam znajdziemy coś do jedzenia.

– Jeśli nie, to w sklepie są konserwy.

Kłapciak nie zachowywał się tak, jakby był szczęśliwy, że zaraz dostanie jeść. Obwąchiwał powietrze swoim wielkim nochalem i unosił ogromne, zwisające uszy, żeby nasłuchiwać. A wesoły pies tak nie robi. Z pewnością wyczuwał coś, czego ludzie nie mogliby wyczuć. Wyczuwał kłopoty.

Patka i Pat nabrali trochę odwagi, weszli do kawiarni i się rozejrzeli. Krzesła były porządnie ustawione przy stołach. Sztućce leżały obok talerzy, na niebieskich obrusach – tak jak u nich w domu. Stojaki na serwetki, solniczki i pojemniki z pieprzem stały w rzędzie, jakby w każdej chwili mieli przybyć goście. Dzieci nieśmiało usiadły przy stole i wzięły menu.

– Najchętniej zjadłbym hamburgera – powiedział Pat.

Patka zaczęła czytać menu.

– A ja z tego głodu zjadłabym wszystko, co jest w kuchni.

Rozpoczyna się długa podróż

Na słowo „kuchnia" odwrócili się i popatrzyli na drzwi wahadłowe prowadzące z jadalni do kuchni. Kuchnie w restauracjach zawsze mają drzwi wahadłowe, żeby kelnerzy i kelnerki mogli wchodzić i wychodzić z talerzami, nie sięgając do klamki.

– Hej! – krzyknął Pat. – Jest tam kto?

Nikt nie odpowiedział.

Ostrożnie wstali od stołu, podeszli do drzwi wahadłowych i zajrzeli pod nie. W kuchni ani żywej duszy. Wielki, czarny żelazny piec stał zimny. Nie było na nim garnków ani patelni. Metalowe lady czyste i jasne. W zlewach żadnych brudnych talerzy, a tace z nożami, widelcami i łyżkami wyglądały na świeżo pozmywane.

– Dokąd wszyscy poszli? – zapytała Patka, jakby zatopiona w marzeniach.

– Jak tylko zrobimy sobie jakiś obiad, spróbujemy sprawdzić – odparł Pat, otwierając wielką zamrażarkę.

Patka utkwiła w bracie pytający wzrok.

– Przepraszam, a jak zapłacimy?

Sięgnął do kieszeni spodni i wyjął pięć złożonych jednodolarowych banknotów.

– Pożyczyłem od mojej świnki właśnie na takie okoliczności.

W wielkiej zamrażarce i w spiżarni znaleźli to, co chcieli. Przygotowali sobie kanapki z serem i szynką, majonezem, musztardą, sałatą i pomidorami. Do picia wzięli mleko w dzbanku. Byli strasznie głodni, więc wszystko im smakowało, i to tak bardzo, że musieli się powstrzymywać, żeby nie zrobić sobie więcej kanapek

Ale Pat popatrzył w menu i oświadczył:

– Nasze kanapki z serem i szynką i dwie szklanki mleka kosztowały dolara. Nie możemy zjeść więcej bez dopłaty.

– To wystarczy – powiedziała Patka. – Jestem już najedzona.

Zostawili banknot na stole pod solniczką, po czym wyszli na drewniany chodnik. Rozejrzeli się i ogarnął ich strach.

Rozpoczyna się długa podróż

Szok. Środek ulicy był pusty, tak pusty jak sypialnia bez łóżka, jak szopa na narzędzia bez narzędzi, nawet bardziej pusty niż górski strumień bez wody.

„Vin Fiz" zniknął. Wyparował, ulotnił się, jakby nigdy nie istniał.

5

Bandyci

Nie ma go! – wrzasnęła Patka. – Ktoś zabrał „Vin Fiza"!

Kłapciak biegał jak szalony wokół miejsca, gdzie po raz ostatni widzieli samolot, i podnosił łeb ku niebu. Potem zaczął krążyć, używając wielkiego czarnego nosa jak igły kompasu. Złapał zapach, zawył i popędził w stronę wielkiego wzgórza za miastem. Patka i Pat rzucili się za nim.

Chociaż nie był nawet w przybliżeniu tak szybki jak chart, a choćby jamnik, który potrafił biegać wokół basseta, jego krótkie, przysadziste nogi mogły nieść go bez zmęczenia całymi kilometrami. Wkrótce Kłapciak zostawił Patkę i Pata daleko z tyłu.

– Och nie! – krzyknęła Patka. – Zgubiliśmy Kłapciaka.

– Dogonimy go – powiedział Pat z przekonaniem. – Spójrz w dół. Wystarczy, żebyśmy szli tym śladem.

Patka popatrzyła na wiejską drogę i zobaczyła odciski łap psa na koleinach po kołach „Vin Fiza". Pat wskazał ślady kopyt, które też odcisnęły się w miękkiej ziemi.

– Ten, kto ukradł nasz samolot, ciągnął go koniem.

Biegli za śladem, aż skończył się tam, gdzie ziemię zastąpiła skała, która rozprzestrzeniała się we wszystkich kierunkach.

– Och nie! – krzyknęła znów Patka, na próżno szukając śladów. – Teraz nigdy nie znajdziemy Kłapciaka ani „Vin Fiza".

– Nie martw się, siostrzyczko. Przyjrzyj się dokładniej.

Patka uklękła i uważnie zbadała wzrokiem skałę. Przed jej oczami, jak na dłoni, widać było czarne krople oleju. Prowadziły do wielkiego wzgórza za miastem. Podniosła wzrok i się roześmiała.

– „Vin Fiz" zostawia ślad, żebyśmy mogli go znaleźć.

– Widzisz? Jest zaczarowany. – Pat wypiął pierś z miną „a nie mówiłem". – A kiedy go znajdziemy, znajdziemy i Kłapciaka. Chodź, szybko.

Pobiegli za śladem oleju przez płaskie morze skał. Kiedy zbliżyli się do wielkiego wzgórza, trafili na tory kolejowe. Nie były to zwyczajne, szerokie tory z długimi podkładami i grubymi stalowymi szynami. W tych odległość od szyny do szyny wynosiła zaledwie pół metra.

– Co za pociąg jeździ po takich wąskich torach? – zdziwił się Pat.

Bandyci

– A pamiętasz, że tata zabrał nas w zeszłe lato na święto Castroville? – spytała Patka. – Tam też jeździliśmy po parku takim pociągiem na wąskich torach. To się nazywa kolejka wąskotorowa.

Szli wzdłuż szyn, dotarli do wielkiego stosu skał, które spadły ze wzgórza. Tory kończyły się na szczycie tego stosu. Stały tam dwa wagoniki w kształcie wielkich kubłów, sczepione czymś, co Pat nazwał sprzęgiem. Oba były wypełnione skałami.

– To wagoniki na rudę – stwierdziła Patka.

– Skąd wiesz?

– Widziałam takie na obrazkach w książce o wydobywaniu złota. Używa się ich do wywożenia skały z kopalń.

Pat popatrzył na zbocze wzgórza i zobaczył to. Nie dalej niż trzydzieści metrów, nie bliżej niż dwadzieścia siedem znajdowało się złowrogo rozwarte wejście do jaskini.

VIN FIZ

– Ślad oleju prowadzi do tej jaskini – powiedział przyciszonym głosem.

Szli powoli, trzymając się za ręce, aż weszli do środka. Rozszerzała się w pieczarę wielką jak ich stodoła.

– „Vin Fiz"! Tu jest „Vin Fiz"! – zawołały wesoło dzieci i radośnie klasnęły w ręce.

I rzeczywiście był.

Żółty samolot z zielonymi literami stał pośrodku pieczary jak w dniu, w którym się zmaterializował. Czyli w tym samym dniu.

Ale coś było nie tak. Patka natychmiast się zorientowała co.

– Nie ma Kłapciaka – jęknęła. – Nigdzie go nie widzę.

Pat skinął głową w stronę otworu w jednej ze ścian, gdzie zagłębiały się tory.

– Musiał wbiec tam.

Zbliżyli się do czegoś, co się okazało szybem kopalni.

Bandyci

Nagle trzech bardzo wysokich mężczyzn, a przynajmniej bardzo wysokich dla dwojga dziesięciolatków, podeszło i groźnie popatrzyło na dzieci.

Ten co stał przed dwoma innymi, ubrany był jak rewolwerowiec z Dzikiego Zachodu. Przy pasie wisiał mu kolt. Czarny kapelusz częściowo przykrywał tłuste włosy, a nad górną wargą rozciągały się wielkie wąsy, jak u morsa. Miał na sobie czarną koszulę wetkniętą w czarne spodnie wetknięte w czarne wysokie buty. Jego pomocnicy – musieli być pomocnikami, bo zachowywał się jak szef – też byli ubrani na czarno, jak z Dzikiego Zachodu. Bliźniaki trochę odetchnęły, ale przestraszyły się, bo jeden z mężczyzn trzymał na rękach Kłapciaka, który skomlał w kagańcu oplatającym mu szczęki i nos.

– Mówiłem, że się pojawią, szefie, kiedy ukradniemy samolot – syknął ten z Kłapciakiem do mężczyzny stojącego z przodu.

– Tak – powiedział drugi pomocnik, uśmiechając się. – To był mój pomysł.

– Nieprawda. Mój.

– Nie, mój.

– Mój też.

– Nie.

– Też.

– Obaj gadacie bzdury – parsknął szef. – Bo to ja wymyśliłem. A teraz bądźcie cicho.

Pomocnicy zgarbili się i skulili ze strachu, słysząc zimny głos szefa.

Wąsacz popatrzył gniewnie na dzieci.

– A wy, małe nicponie, skąd się wzięłyście? – warknął. – I kto was przysłał?

– Nikt nas nie przysłał. – Pat wysunął się przed siostrę, która tak mocno się trzęsła, że ledwo mogła ustać. – Przylecieliśmy tutaj – przerwał i pokazał na „Vin Fiza" – naszym samolotem, z Castroville.

– Castroville – prychnął szef. – Nigdy nie słyszałem.

Bandyci

– Tak się składa, że leży w Kalifornii – powiedziała z oburzeniem Patka, której już wraca-
ła trochę odwaga.

Szef popatrzył na „Vin Fiza".

– Dolecieliście tutaj tym starym gratem?

– To nie jest grat – burknęła ze złością Patka. – To zaczarowany samolot.

Było oczywiste, że szef nie widzi niczego cza-
rodziejskiego w samolocie.

– Czy ktoś wie, że tu jesteście?

Pat pokręcił głową.

– Nikomu nie powiedzieliśmy, dokąd lecimy.

– A dokąd to lecicie?

– Do Nowego Jorku – odparła Patka.

Szef popatrzył na nich, jakby właśnie spadli
z księżyca. Potem na ustach pojawił mu się zły
uśmiech.

– No to w najbliższym czasie nie polecicie
do Nowego Jorku. – Odwrócił się do pomocników. – Pokażmy im ich nowy dom.

VIN FIZ

Mężczyźni zaczęli się śmiać jak hieny. Szef poszedł pierwszy. Kiedy weszli do szybu, ich śmiech zaczął odbijać się od skalnych ścian i toczyć głęboko w tunelu wewnątrz wzgórza. Bliźniaki musiały uważać, żeby nie potknąć się o drewniane podkłady żelaznych szyn kolejki wąskotorowej. Pomocnik niosący Kłapciaka rzucił go brutalnie na ziemię i szarpnął za smycz. Kłapciak dzielnie wbił pazury w skaliste podłoże tunelu, ale mimo wysiłków musiał dać się pociągnąć.

– Nie utrudniaj mi życia – warknął mężczyzna.

Wkrótce podeszli do wielkiej żelaznej bramy blokującej wejście do dalszej części tunelu. Szef wyjął klucz i przekręcił go w zamku z brązu. Potem otworzył bramę w chwili, kiedy po drugiej stronie pojawił się wózek na rudę pchany przez dwie dziewczynki niewiele starsze od Pata i Patki. Miały na sobie poszarpane, brudne sukienki. Wyglądały na bardzo zmęczone pchaniem ciężkiego wózka, zawalonego skalistą rudą. Z tyłu szedł kolejny pomocnik szefa i dźgał je długim kijkiem.

– Ruszać się, dziewuszki, jeszcze sześć ładunków do zwalenia, zanim dostaniecie fasolę i wodę.

Kłapciak próbował szczekać przez kaganiec. Szef wykręcił długie ucho psa.

– Oszczędzaj siły, głupi kundlu – zakpił. – Zanim się zorientujesz, zaprzężemy cię do wózka.

Patka pacnęła szefa w rękę, żeby puścił ucho Kłapciaka.

– Niech pan zostawi mojego psa w spokoju – zażądała stanowczo.

Przez chwilę oczy szefa połyskiwał diabelsko, a potem chyba się rozweseliły, jakby rozbawiło go zachowanie dzielnej dziewczyny.

– Będziesz dla mnie pracowała, dziewuszko. Znajdę coś dla kogoś z twoim charakterkiem – powiedział.

VIN FIZ

Bliźniakom nie podobało się to, co się dzieje. Nie podobało się ani trochę. Żołądki podchodziły im do gardła ze strachu, co też ten szef wymyśli. Niewiele jednak mogli zrobić, tylko czekać na to, co się zdarzy.

A zdarzyło się to, że weszli do kolejnej pieczary z ogromną skalistą kopułą. W wielkim trudzie pracowała tam ponad setka ludzi. Mężczyźni i chłopcy łupali kilofami skałę i szuflami napełniali małe zardzewiałe wózki, a kobiety i dziewczynki pchały je tunelem do zwałowiska na zewnątrz. Niektórzy ciągnęli olbrzymi kolisty kamień, który kruszył rudę, zanim przemyto ją wodą w poszukiwaniu złota.

– Dlaczego nas tu przyprowadziliście i kim są ci ludzie? – zapytał Pat głosem tak dorosłym, na jaki tylko mógł się zdobyć.

– Ho, ho, wścibscy jesteśmy, co? – Szef nachylił się i obrzydliwie łypnął okiem. – Przyprowadziliśmy was tutaj, bo nie możemy pozwolić, żebyście sobie poszli i powiedzieli światu, że ja

Bandyci

i moi ludzie zebraliśmy wszystkich mieszkańców miasta i zmuszamy ich do niewolniczej pracy przy wydobywaniu złota, bo chcemy być bogaci jak królowie.

– Ale ich jest więcej niż was – zauważyła Patka. – Dlaczego się nie zbuntują i nie pokonają ciebie i twoich zbirów?

Szefowi nie spodobało się słowo „zbiry", więc kiedy odpowiadał, nadepnął jej na stopę, aż się skrzywiła.

– Bo porwaliśmy ich dzieci i trzymamy je w niewoli w innej części kopalni. Jeśli nie będą pracować, no to… – Przerwał i wzruszył ramionami, ale dla bliźniaków i tak wszystko stało się jasne.

– Nie odważycie się skrzywdzić dzieci – powiedział stanowczo Pat.

– Tylko tchórze krzywdzą małe dzieci – dodała Patka.

– Jeśli groźby zmuszają tych durniów do kopania złota, to niech tak będzie.

– Policja was złapie – wycedziła ze złością Patka.

Szef roześmiał się z głębi brzucha.

– Cha, cha, cha. Policja, mówisz. Do twojej wiadomości, tu nie ma policjanta w promieniu pięciu dni jazdy. Oddział kawalerii Stanów Zjednoczonych stacjonuje w forcie Blodgett dobre trzydzieści kilometrów stąd, ale oni nie mają pojęcia, co tu się dzieje. Stary pułkownik Grzmot, ich dowódca, przyjeżdża do miasta tylko raz na dwa miesiące. – Przerwał i policzył na palcach. – Nie będzie go przez następne pięć tygodni. Do tego czasu zdążymy zniknąć. I zabierzemy tyle złota, ile tylko zdołamy unieść. Wystarczy, żeby zrobić z nas bogaczy na resztę życia.

– Złodziejom nigdy nie żyje się dobrze – powiedział szorstko Pat.

Szef zwrócił się do swoich kompanów.

– Chyba że to cwani złodzieje, tacy jak my. Zgadza się, chłopcy?

Bandyci

Jego okrutni pomocnicy, wszyscy, którzy to usłyszeli, zaczęli wznosić okrzyki, śmiać się i klaskać, wyobrażając sobie swoje ukradzione bogactwo.

– A teraz czas, żebyście wy dwoje zarobili na swoje utrzymanie – oznajmił szef. Skinął na mężczyznę o grubych wargach i obrzydliwym płaskim nosie wielkości filiżanki. – Weź ich do ładowania wagoników rudą. I nie dawaj im jeść, dopóki nie załadują dziesięciu.

Pat otworzył usta, żeby zaprotestować, ale szef przejechał sobie palcem po gardle. Pat zadrżał i już nic nie powiedział.

– Ani słowa więcej – warknął szef. – A teraz jazda do roboty.

Pat się nie ruszył.

– A co z naszym psem? Zostawcie go z nami.

Szef podwinął wargę.

– Nie ma mowy. Przywiążę go do swojej pryczy. Jeśli nie będziecie ciężko pracować, każę swoim chłopcom go ugotować i zjeść.

Roześmiał się podle, kiedy zobaczył przerażone spojrzenia bliźniaków. Odwrócił się i odszedł, a jeden z bandytów – z blizną na policzku i z żółtymi od niemycia zębami – popchnął dzieci w stronę kolejki wąskotorowej. Stało tam pięć wagoników obok wielkiego stosu pokruszonej rudy.

– No, zabierajcie się do pracy, jeśli wiecie, co dla was dobre, dzieciaki.

I tak Patka i Pat zaczęli ładować łopatami pokruszoną skałę, która została wymyta z wszelkich śladów złota. Pracując, widzieli, jak ludzie szefa ostrożnie zgarniają złoty pył i nasypują go do skórzanych woreczków, które potem kładą w rogu kopalni. Pat naliczył co najmniej trzydzieści worków.

– Tam musi być cała fortuna w złocie – szepnął, dziwiąc się takiemu bogactwu.

– Ale to nie szefa, tylko mieszkańców miasta – oburzyła się Patka.

Bandyci

Zbliżyli się mężczyzna i kobieta – oboje brudni, w podartych łachmanach. On niósł ciężką skałę do kruszarki, a ona pchała wagonik. Kiedy przechodzili obok bliźniaków, zerknęli na bandytów, żeby się upewnić, czy nie są obserwowani. Zatrzymali się, udając, że pracują.

– Jak to się stało, że szef was złapał? – zapytał cicho mężczyzna. Był wysoki, szczupły, miał miłe niebieskie oczy.

– Przylecieliśmy do tego miasta z Castroville i zatrzymaliśmy się, żeby coś zjeść – wyjaśniła Patka.

– Jak się nazywacie?

– Pat Dobrutki – przedstawił się chłopiec. – A to moja siostra bliźniaczka, Patka.

– To straszne, żeby tak małe dzieci ładowały skałę na wagoniki – westchnęła miła pani, niewiele wyższa od bliźniaków. Miała długie rude włosy, a jej oczy błyszczały ciemną zielenią.

– Jesteście z miasta? – zapytała Patka.

– Nazywam się Marek Żarek, a to moja żona Gwiazdka. Jestem burmistrzem Złotkowa a przynajmniej byłem, dopóki nie przybył szef z kompanami i nie wziął w niewolę wszystkich mieszkańców. Przyprowadzili nas tutaj i każą nam pracować, żeby się mogli wzbogacić.

– Powiedział, że nie walczyliście, bo zabrał wam dzieci.

Burmistrz przytaknął.

– Zanim się zorientowaliśmy, schwytali dzieci wraz z nauczycielem w szkole i uwięzili je głęboko w kopalni. Nie mamy wyboru, musimy wykonywać ich rozkazy. Zagrozili, że zrobią krzywdę chłopcom i dziewczynkom.

– Czy ktoś próbował uciec i pójść po pomoc do fortu Blodgett? – zapytał Pat.

Burmistrz pokręcił głową.

– Jesteśmy pieszo, a oni mają konie. Nie zaszlibyśmy daleko, zanimby nas dopadli.

Patka i Pat popatrzyli na siebie i uśmiechnęli się z wyższością.

Bandyci

– Moglibyśmy dostać się do fortu i nas by nie schwytali – poinformował Pat burmistrza i jego malutką żonę.

– Dzieciaki, to niemożliwe, żebyście biegły szybciej niż konie – wyszeptał burmistrz, bo właśnie przechodził bandyta, który popędzał dwie młode kobiety, żeby pchały wyładowany wagonik. Kiedy przechodzili, Gwiazdka Żarek udała, że ładuje rudę, a jej mąż podniósł kamień i rzucił go w stronę kruszarki. – A niby jak chcielibyście tego dokonać? – zapytał jednak zaciekawiony.

– Mamy samolot – odparł Pat. – Razem z Patką możemy dolecieć do fortu.

– Samolot? – powtórzył z powątpiewaniem burmistrz.

– Nie słyszałeś, co mówili, kochanie? Powiedzieli, że przylecieli z Castroville.

– Nigdy nie słyszałem o Castroville.

– To w Kalifornii – wyjaśniła Patka. – Tam, gdzie uprawia się karczochy.

Burmistrz z natury nie był optymistą. Najczęściej widział te gorsze strony czegoś, rzadko te lepsze. Ale potrafił logicznie myśleć i lubił rozważać wszelkie możliwości.

– Gdzie ten wasz samolot?

– W głównej pieczarze, przed wejściem do szybu. Szef kazał go przyciągnąć z miasta, jak wylądowaliśmy.

Burmistrz zamyślił się głęboko, jak zwykle przed podjęciem decyzji. Potem wzruszył ramionami.

– Nie, nie. Nie ma sposobu, żeby uciec z kopalni. Złapią was, nawet nie zdążycie dojść do samolotu.

– Jeśli się nie spróbuje, nic się nie zrobi – powiedziała sensownie Patka. – Jeśli nic się nie zrobi, nic się nie osiągnie. A jeśli się nie osiągnie, nie będzie sukcesu. Tak zawsze mówi mój ojciec. Musimy więc znaleźć sposób.

Pani Żarek nie zamyślała się głęboko jak jej mąż, ale za to miała wyobraźnię.

Bandyci

– A może schowamy ich w wagonikach na rudę? – zaproponowała wspaniałomyślnie.

– Tak, tak – podchwyciła podekscytowana Patka. – Przysypalibyście nas rudą. A potem kobiety, które pchają wagonik, wyrzucą nas na stertę skały. Bandyci pewnie nie będą przyglądać się bardzo dokładnie czemuś, co widzieli wiele razy.

– Racja – przyznała Gwiazdka Żarek.

– Możliwe – mruknął jej mąż. – Dzieci są małe, zmieszczą się do wagonika i położą się na dnie. – Przerwał, żeby rozejrzeć się, czy któryś z bandytów patrzy albo słucha. Ale żaden nie zwracał na nich uwagi. – Jeśli szef i jego ludzie was złapią, to się wściekną – dokończył.

– Jak tylko będziemy w „Vin Fizie", nigdy nas nie złapią – oznajmił stanowczo Pat.

– Na mój znak skaczcie do wagonika. Gotowi?

VIN FIZ

Patka i Pat ukucnęli za jednym z wagoników. Po minucie, która wydawała się długa jak wieczność, burmistrz Żarek syknął głośno:
– Teraz!

6

Ucieczka do fortu Blodgett

Patka i Pat nie zastanawiali się. Wskoczyli do wagonika, tak szybko, jak szybko można wypowiedzieć słowa „wskakujcie do wagonika".

Żarkowie też nie marnowali czasu, wrzucali oczyszczoną ze złota skałę spod kruszarki. Była miałka jak zwyczajna ziemia. Prawie wszyscy chłopcy lubią się grzebać w ziemi. Pat pomyślał, że to fajne, gdy drobiny spadały mu na głowę. W końcu został tak przysypany, że wystawał mu tylko nos. Inaczej było z Patką. Nie widziała niczego zabawnego w tym, że się cała ubrudzi. Czuła się koszmarnie na myśl, że musi siedzieć w stosie wilgotnych okruchów skalnych.

Po ostatniej łopacie burmistrz Żarek nachylił się nad wózkiem.

– Spróbujcie się nie ruszać i nic nie mówić, dopóki nie wyrzucą was na zewnątrz – powiedział cicho. – Lećcie na wschód, aż zobaczycie fort. Powodzenia, dzieciaki.

– Będziemy się za was modlić – wyszeptała pani Żarek.

Jeden z pomocników szefa, widząc, że wózki są pełne, grubiańsko popchnął dwie młode dziewczyny na wąskie tory.

Zacznijcie pchać, jeśli chcecie dostać jeść – mruknął.

Dziewczyny nie wiedziały, że Patka i Pat są schowani pod pokruszoną skałą. Nachyliły się i zaczęły pchać wózki po szynach. Patka i Pat niczego nie widzieli, bo oczy mieli zamknięte i przysypane pyłem. Słyszeli, jak biedne dziewczyny sapią i jęczą, tocząc ciężkie wózki po torach. Chwilę później poczuli, że wózki się zatrzymały.

Potem dało się słyszeć szczęknięcie i wózki z kruszywem się przechyliły, a ładunek drobno pokruszonej rudy, razem z Patką i Patem, wysypał się na hałdę.

Dziewczyny ze zdumieniem patrzyły, jak dzieci koziołkują ze zbocza. Ale szybko zrozumiały, że to próba ucieczki. Szeptem życzyły im szczęścia i zaczęły pchać wózki z powrotem do kopalni. Bandyta stał tyłem, strasznie znudzony i nie chciało mu się nawet spojrzeć w dół, gdzie siedzieli Patka i Pat, wydłubując paprochy z oczu i ust. Bandyta tylko ziewnął i kazał dziewczynom, żeby się pospieszyły i przywiozły kolejny ładunek.

Ledwie bliźniaki zostały same, wspięły się na hałdę i pobiegły do „Vin Fiza", który nadal stał spokojnie pośrodku groty.

– Nic z tego, bandyci usłyszą silnik, kiedy go włączymy – jęknął Pat. – Przybiegną tutaj.

VIN FIZ

Ale jego obawy wkrótce się rozwiały, bo samolot sam z siebie uruchomił silnik w prawie całkowitej ciszy, zanim nawet zdołali do niego dojść. Z rur wydechowych buchnęły płomienie, ale jakimś cudem, nie rozległ się żaden dźwięk. Wskoczyli na miejsca, założyli pilotki i gogle i zacisnęli pasy.

– „Vin Fiz" jest naprawdę zaczarowany! – krzyknęła radośnie Patka.

Pat nie musiał nawet dotykać sterów i przepustnicy. „Vin Fiz" po prostu wytoczył się z jaskini, skręcił na drogę, pomknął przed siebie i wzniósł się w powietrze lekko jak motyl.

Po raz pierwszy Pat odkrył, że nie musi manewrować sterami. Samolot leciał sam. Wystarczyło mu podawać komendy głosem.

– Skręć na wschód – rozkazał Pat i „Vin Fiz" łagodnie zatoczył się w tym kierunku. – I leć szybko.

Silnik zwiększył obroty, śmigła zawirowały jak trąba powietrzna i maszyna poszybowała przez przestwór z szybkością ponad siedemdziesiąt kilometrów na godzinę. Niecałe trzydzieści metrów lecieli nad piaszczystą pustynią, żeglowali nad tysiącami bylic o srebrnych łodygach i żółtych płatkach, nad juką z pękami purpurowo-białych dzwonkowatych kwiatów i nad zagajnikami drzew o spiczastych kremowo-zielonych liściach. Niektóre drzewa miały nawet dwadzieścia metrów wysokości.

– Pustynia jest taka piękna – powiedziała Patka normalnym głosem, bo „Vin Fiz" leciał tak cicho, że słychać było tylko zawodzenie wiatru owiewającego podpórki skrzydeł. Zawsze myślała, że pustynia to sucha i jałowa ziemia, więc teraz dziwiła się na widok ogromnych połaci polnych kwiatów.

– Widzisz już fort Blodgett? – zapytał Pat, który oglądał się, czy szef i jego pomocnicy nie ruszyli za nimi w pościg.

Podniosła gogle i przesłoniła dłonią oczy przed słońcem.

– Widzę, widzę! – zawołała podekscytowana. – Widzę mury i wieże strażnicze na rogach.

Wkrótce „Vin Fiz" kołował nad flagą w gwiazdy i paski, która powiewała nad fortem. Szukał miejsca do lądowania. Po placu apelowym biegali żołnierze w mundurach khaki i pokazywali w górę. Szerokie, otwarte pole zapraszało, więc samolot gładko wylądował, potoczył się i zatrzymał niecałe dziesięć metrów od głównej bramy. Zanim bliźniaki zdążyły odpiąć pasy, okrążyła ich mała armia wojskowych.

– O rety – mruknął mężczyzna, który wyglądał na oficera. – Dzieciaki w starym samolocie. Skąd was tutaj przyniosło?

Patka już zaczęła wyrzucać z siebie całą opowieść, ale oficer uniósł rękę i ją uciszył.

– Chodźcie ze mną – powiedział uprzejmie. – Zabiorę was do swojego dowódcy, pułkownika Grzmota.

Ucieczka do fortu Blodgett

Siwowłosy pułkownik miał jedno oko brązowe, a drugie szare. To szare patrzyło w bok i bardzo ich rozpraszało.

Dzieci opowiedziały o tym, że mieszkańcy Złotkowa są trzymani w niewoli i zmuszani do pracy w kopalni. Ku ich zaskoczeniu, uprzejmy pułkownik Grzmot uwierzył w ich opowieść od pierwszego do ostatniego słowa. Spojrzał na młodszego stopniem oficera.

– To wyjaśnia, dlaczego nikt w Złotkowie nie odbiera telefonu. – Wstał. – Kapitanie Szczebiotek, zebrać żołnierzy. Jedziemy do Złotkowa pełnym galopem. – Pułkownik zwrócił się do Patki i Pata: – A wy lećcie nad nami i pilnie wypatrujcie szefa i jego bandy, gdyby chcieli uciec.

– Tak jest – zameldował Pat.

Wkrótce pięćdziesięcioosobowy oddział kawalerii Stanów Zjednoczonych, na wielkich brązowych i czarnych koniach wyjechał pędem z fortu Blodgett i pognał przez pustynię w stronę Złotkowa. Pat, zanim wsiadł do „Vin Fiza", zajrzał do zbiornika na paliwo. Sądził, że bak musi być prawie pusty, ale o dziwo okazał się pełny po brzegi. Pat pomyślał, że zaczarowany samolot pewnie nie potrzebuje paliwa, żeby latać. Bliźniaki wskoczyły do samolotu i wkrótce znalazły się w powietrzu. Podążały za chmurą kurzu, która kłębiła się za kawalerią.

Patka i Pat dolecieli do wzgórza i spojrzeli na wejście do jaskini. Kobiety, które opróżniały wagonik, nie popatrzyły do góry. Podobnie ich strażnik bandyta, bo „Vin Fiz" leciał cicho jak duch i wyglądał jak wielki jastrząb kołujący po niebie.

Wkrótce nadciągnął oddział kawalerii i z wymachującym szablą pułkownikiem Grzmotem zaatakował wzgórze. Wtedy Pat powiedział „Vin Fizowi", żeby wylądował.

– Pospiesz się! – ponagliła brata Patka. – Musimy uratować Kłapciaka, zanim szef zrobi mu krzywdę.

Wyskoczyli z samolotu i rzucili się pędem do jaskini.

Ucieczka do fortu Blodgett

Przebiegli obok kobiet, które pchały wagonik, obok poganiającego je strażnika. Ale one pobiły wszelkie rekordy, gnając na złamanie karku, żeby ratować psa. Kawalerzyści zeskoczyli z koni, złapali bandytę i susami wpadli za Patką i Patem do szybu kopalni. Wszystko działo się niemal w mgnieniu oka. Mniej czasu trzeba, żeby powiedzieć „hop, siup, dziś". Żołnierze wyłapali resztę bandytów, postawili ich pod ścianą z rękami do góry i osaczyli szefa w jego jaskiniowej sypialni.

– Nigdy nie weźmiecie mnie żywcem! – ryknął.

– No to użyjemy dynamitu i pochowamy cię pod toną skały – zagroził mu pułkownik Grzmot.

– Proszę, panie pułkowniku – odezwała się Patka. – Tam jest nasz ukochany pies.

Ledwie skończyła mówić, szef wrzasnął i zawył z bólu. Nagle wypadł z sypialni i pobiegł przed siebie z Kłapciakiem mocno wgryzionym w jego pośladki. Na widok Patki i Pata pies puścił szefa. Przydreptał do bliźniaków, dziko machając długim, cienkim ogonem. Lizał ich po twarzach i szczekał z radości. Tymczasem szefa, ciągle pocierającego spodnie w miejscu, gdzie Kłapciak go ugryzł, odprowadzali kawalerzyści.

Możecie sobie wyobrazić rozradowanie dobrych przyjaciół i sąsiadów ze Złotkowa, kiedy zostali uwolnieni, mogli pójść do domów i dalej wieść szczęśliwe życie. Pełni radości, wiwatowali jak szaleni. Potem dźwignęli na ramiona Patkę, Pata i pułkownika Grzmota i pomaszerowali, śpiewając ile sił w płucach. Dołączyli do nich żołnierze. Krzyczeli „hura", a jednocześnie, pod karabinami, eskortowali szefa i jego pomocników do miejskiego aresztu i tam szybko ich zamknęli.

Później, podczas wielkiej galowej uroczystości, wszyscy tańczyli wokół „Vin Fiza". Wydawało się, że jego żółte i zielone skrzydła lekko się zaczerwieniły, jakby był zawstydzony. Burmistrz Żarek dał Patce i Patowi wielki drewniany klucz pomalowany na złoto, który symbolizował klucz do miasta.

– Od tej chwili – oznajmił uroczyście burmistrz Żarek – co roku, w ten dzień, w Złotkowie będzie święto o nazwie Dzień „Vin Fiza", żeby uczcić uratowanie mieszkańców miasta z rąk okropnego i złego pana Szefa.

Patka została zapytana, czy chce część złota wykopanego pod przymusem przez mieszkańców miasta.

– Proszę za nasze złoto zbudować nową szkołę, kościół, ratusz i areszt miejski – odpowiedziała, a brat przytakiwał jej z aprobatą.

Wszyscy słuchający tych szlachetnych słów zaczęli głośno wiwatować.

Następnego dnia wcześnie rano, kiedy przyszedł czas odlotu, rozległy się czułe, pełne wzruszenia pożegnania. Pat sprawdził, czy butelka z napojem winogronowym, od którego „Vin Fiz" wziął nazwę, nadal jest przywiązana do podpórki skrzydła. Tak, była bezpieczna. Szef i jego

VIN FIZ

ludzie nie zauważyli jej i nie dotykali. Bliźniaki wsadziły Kłapciaka do pudła i założyły mu pilotkę na głowę i długie zwisające uszy. Usiadły na swoich miejscach i poprawiły pasy bezpieczeństwa.

Silnik sam zawarczał i samolot potoczył się ulicą. Podmuch od śmigieł wzbił chmurę kurzu. Wkrótce wznieśli się nad ziemię i krążyli nad miastem, machając do tych na dole, którzy wiwatowali i też wymachiwali rękami.

Patka wyjęła z kieszeni pamiętnik i zaczęła spisywać wydarzenia dnia. Przed nimi poranne słońce wypełzało nad pustynny krajobraz. Na polecenie Pata, „Vin Fiz" odwrócił się ogonem w stronę zacnego miasta Złotkowo i jego dobrych mieszkańców i obrał kurs na wschód.

7

Przez wielką rzekę Missisipi

Pustynia wkrótce została z tyłu i „Vin Fiz" zabrał ich nad wyniosłe, ośnieżone Góry Skaliste. Poszarpane, pokryte lodem szczyty wyglądały jak odwrócone do góry nogami sople. Na takiej wysokości było chłodno i mieli gęsią skórkę, dopóki nie dotarli tam, gdzie góry zamieniają się we wzgórza. Teraz, przelatując z Patem, Patką i Kłapciakiem nad Zachodnimi Równinami, samolot znów leciał nisko. Ziemia była płaska, jak okiem sięgnąć. Przez dłuższy czas prawie nie widzieli drzew, nie licząc tych, które rosły przy wyschniętych korytach strumieni. Całe kilometry suchej ziemi dzieliły jedną farmę od drugiej. Odetchnęli, kiedy „Vin Fiz" zaczął lecieć nad bujnym zielonym terenem graniczącym z polami złotej pszenicy.

Niebo nad nimi przypominało wspaniałego barwnego pawia, a między skrzydłami wiał gorący i parny wiatr. Przelatywali nad farmami i machali do zaskoczonych mężczyzn w polu i do kobiet, które siedziały na gankach i łuskały groch.

– Jak myślisz, gdzie jesteśmy? – zapytał Pat.

Patka spojrzała na mapę.

– Chyba gdzieś nad Kansas.

– To stąd była Dorotka z Czarnoksiężnika z krainy Oz.

– A nie zapominaj o Toto – powiedziała ze śmiechem Patka, odwróciła się i pogłaskała Kłapciaka, który siedział z wywieszonym językiem.

Szybowali nad falistymi wzgórzami i malowniczymi farmami Missouri. Wkrótce miało

Przez wielką rzekę Missisipi

się ściemniać i Pat zaczął rozglądać się za miejscem, gdzie mogliby spędzić noc. Pomarańczowa piłka słońca właśnie dotykała horyzontu, kiedy stwierdzili, że lecą nad potężną rzeką Missisipi. Ogromny biały parowiec z wielkim czerwonym kołem łopatkowym na rufie zbliżał się do zakrętu, parowy gwizdek głośno zaświstał. Koło zakręciło się, ubijając wodę na pianę, wysokie bliźniacze kominy wypluły czarny dym w wieczorne niebo.

„Vin Fiz" nie dał się prosić. Zanurkował spiralą i zaczął oblatywać parowiec zaledwie sześć metrów nad powierzchnią wody. Latał w kółko i machał skrzydłami, jakby chciał coś powiedzieć, przed czymś ostrzec. Ale nawet zaczarowany samolot nie potrafi mówić. Patka i Pat nie mieli pojęcia, o co „Vin Fizowi" chodzi.

Samolot okrążał statek i dzieci dokładnie widziały wielkie czerwone światło na sterburcie (czyli po prawej stronie, jeśli stoisz twarzą do dziobu, czyli przodu statku) i zielone na

VIN FIZ

portburcie (to znaczy po lewej stronie, gdy stoisz twarzą do dziobu). Kapitan stojący z rękami na wielkim kole sterowym w sterówce i pasażerowie, którzy spacerowali po pokładach, patrzyli ze zdziwieniem, jak śmieszny samolot, pilotowany przez dwoje dzieci i psa, okrąża statek.

Nagle, ku zaskoczeniu bliźniaków, „Vin Fiz" wyrównał lot i pognał w górę rzeki, za zakręt. Kiedy znaleźli się po drugiej stronie, skąd nie było widać parowca, Patka i Pat z przerażeniem zobaczyli ogromną barkę na węgiel. Niesiona szybkim prądem dryfowała na oślep na środek rzeki. Była czarna i groźna. Wkrótce przemknie za zakręt, prosto na kurs rzecznego statku, którego kapitan nie spodziewał się zagrożenia. Zderzenie wydawało się nieuchronne.

Daleko za barką płynął holownik. Jego gwizdek świstał, koła młóciły wodę, silniki pracowały pełną parą w pogoni za uciekającą barką (pewnie dziwicie się, skąd bierze się nazwa „holownik", skoro prawie zawsze pcha on barki, a nie je ciągnie; otóż kiedy barki związane są razem, nazywa się je „holem", a holownik je przesuwa).

– Musimy ostrzec kapitana parowca! – krzyknęła Patka.

– Szybko! – zawołał Pat. – Wyrwij kartkę ze swojego pamiętnika i napisz ostrzeżenie.

– Jak im to rzucimy? Wiatr zwieje papier do rzeki.

– Nie, jeśli zrobimy z niego samolocik.

Ledwie Patka skończyła pisać, złożyła kartkę w samolocik z ostrym dziobem i szerokimi skrzydłami.

– Prędzej, prędzej – ponaglał Pat. – Barka zaraz wypłynie zza zakrętu.

Pat zdawał sobie sprawę, jak straszny wypadek może się zdarzyć, gdyby barka zderzyła się z parowcem pełnym ludzi, więc zaczął błagać samolot:

– „Vin Fiz", szybko, zabierz nas tuż nad parowiec.

VIN FIZ

Niezgrabna maszyna bez chwili wahania zawróciła nad zakrętem rzeki i zleciała nisko nad parowiec. Krążyła coraz niżej nad wysokimi czarnymi kominami. W chwili, kiedy przelatywali nad sterówką, Patka puściła samolocik i machnęła do kapitana, który stał na zewnątrz, przypatrując się szaleństwom „Vin Fiza".

Kapitan Otis Kosmacz, szyper i właściciel parowca „Błotnista Królowa" zobaczył papierowy samolocik i chwycił go, zanim kartka zdążyła przelecieć nad pokładem i wylądować w rzece. Przez chwilę najwyraźniej nie wiedział, co o tym sądzić. Samoloty rzadko zrzucają na rzeczne statki wiadomości ostrzegające je przed niebezpieczeństwem, a to był bardzo dziwny samolot. Ale kapitan Kosmacz miał na pokładzie prawie dwustu pasażerów i trzydziestu członków załogi. Wygiął się w S, pociągnął się za długie, zawinięte do góry wąsy, poprawił czapkę i świsnął ostro w rurę biegnącą od sterówki do kotłowni.

Przez wielką rzekę Missisipi

– O co chodzi, kapitanie?! – odkrzyknął główny mechanik, Hiram Węgielek.

– Właśnie otrzymałem ostrzeżenie, że zerwana barka płynie na nas z prądem. – Kapitan nie powiedział Węgielkowi, skąd o tym wie, bo pomyślał, że główny mechanik go wyśmieje. – Maszyny stop. Cała wstecz.

– Tak jest. – Węgielek złapał wielką dźwignię z brązu, którą zmieniało się bieg koła na rufie. Najpierw przestawił ją na bieg jałowy, odczekał chwilę, a potem przerzucił wstecz. Odwrócił się, żeby zobaczyć, jak wielkie koło ubija wodę łopatkami i rozpryskuje ją na tylne pokłady i pasażerów, którzy przypadkiem tam stali.

W tym momencie kapitan Kosmacz zauważył barkę. Popychana przez prąd rzeki płynęła prosto na „Błotnistą Królową". Była wielka, załadowana węglem, groźna jak jakiś straszny potwór. Nadpływała, jakby sterowała nią zła ręka.

Patka i Pat mogli tylko bezradnie obserwować, jak zmniejsza się odległość między dwoma statkami. „Błotnista Królowa" przyspieszała na całej wstecz, ale czy wystarczająco szybko, żeby wyminąć ogromną czarną barkę? Holownik z dudnieniem pokonywał zakręt, ale nie mógł nadążyć. Patka i Pat sądzili, że parowiec nie uniknie zderzenia. Barka nadpływała bliżej, coraz bliżej. Wyglądało na to, że wszystko na nic, że parowiec nie odpłynie na czas i pasażerowie i załoga są straceni.

Ale nagle „Vin Fiz" wziął sprawy we własne ręce – a raczej we własne skrzydła. Zanurkował w stronę wody. Zwolnił i zawisł nad wielką czarną barką. Potem łagodnie obniżył lot, aż dotknął stosu węgla i stanął. Kiedy koła mocno osiadły w węglu, „Vin Fiz" zwiększył obroty silnika – śmigła zamieniły się w mgiełkę, bo obracały się szybciej, niż oko mogło nadążyć. Ogromny poryw wiatru zatrząsł ogonem. Patka i Pat domyślili się, co samolot chce zrobić. Używał całej mocy, by wyhamować barkę, żeby tak szybko nie spływała po rzece.

Przez wielką rzekę Missisipi

Ponad dwie pełne grozy minuty nic się nie działo. Potem powoli, bardzo powoli barka zaczęła zwalniać. Z początku zmiana była prawie niezauważalna, ale wreszcie odległość między barką a parowcem zaczęła się zwiększać. Teraz holownik mógł dogonić barkę i zapobiec zderzeniu. Marynarz rzucił linę, a Patka i Pat zeskoczyli z „Vin Fiza" i dysząc, założyli ciężki sznur na poler, czyli metalowy słupek używany do mocowania cumy (przy okazji, „cuma" to w języku marynarzy „lina"). Wtedy kapitan holownika włączył całą wstecz i zatrzymał barkę na wodzie.

Bliźniaki usiadły na miejscach, zapięły pasy, a „Vin Fiz" majestatycznie wzbił się w powietrze i zrobił koło nad „Błotnistą Królową". Pasażerowie parowca wznieśli wiwat, który rozległ się echem po całej rzece. Kapitan Kosmacz mocno walił w dzwon statku, a jednocześnie szaleńczo szarpał za sznur gwizdka parowego. Kapitan barki zadął w róg, dołączając się do wrzawy. Jeszcze jedno okrążenie i na komendę Pata „Vin

VIN FIZ

Fiz" przeleciał nad wschodnim brzegiem Missisipi i podjął kurs, zmierzając w stronę ciemniejącego horyzontu.

– Robię się głodna – jęknęła Patka. Znajdźmy jakieś miejsce, żeby coś zjeść i się przespać.

– Ty zawsze jesteś głodna – mruknął Pat, ale uległ kaprysom siostry. – W gasnącym świetle pokazał zżęte pole obok grupy wiejskich budynków. – Może tamtejsi mieszkańcy nas przenocują. Mama i tata nigdy nie odmawiali ludziom, którzy potrzebowali schronienia i posiłku.

Słysząc to, „Vin Fiz" wylądował na podwórku obok domu w chwili, kiedy słońce zniknęło za zagajnikiem. Pat wyjął Kłapciaka i postawił go na ziemi. Basset uradowany, że znów jest wolny, biegał w kółko i radośnie poszczekiwał. Na to zamieszanie nadbiegł z domu pies farmera. To był duży, brązowo-biały kundel, nastawiony przyjacielsko, z kosmatym ogonem, którym wymachiwał jak flagą na silnym wietrze. Psy dotknęły się nosami i zatańczyły wokół siebie szczęśliwe, że widzą kogoś ze swojego rodzaju. Kiedy bliźniaki zbliżyły się do domu, wyszedł im naprzeciw farmer.

– No, no! – zahuczał dobrodusznie. – Kogóż my tu mamy?

– Właśnie tędy przelatywaliśmy – wyjaśnił Pat. – Czy dałby nam pan posiłek i łóżko na noc? Mogę zapłacić dwa dolary. – Pat był oszczędny i nie wspomniał, że po tym, jak zostawili dolara w restauracji w Złotkowie, zostały mu w kieszeni jeszcze dwa.

– Bzdura! – huknął farmer. Miał krótkie, kręcone rude włosy i taką samą brodę. – Wy, dwa urwisy, możecie zostać tak długo, jak zechcecie, jako moi goście. Nazywam się Jan Żurawina. To ja, a to mój stary Druh. – Podrapał psa za uszami. – Mieszkamy sami, będzie nam miło mieć towarzystwo. Zrobię klopsy. Mam nadzieję, że lubicie klopsy.

– Uwielbiamy! – zawołała Patka. – Nasza mama robi wspaniałe klopsy.

VIN FIZ

Farmer popatrzył na „Vin Fiza".

– Przylecieliście tutaj tym... czymś?

– Aż z Kalifornii – odparł Pat, unikając wzmianki o Castroville, bo zdaje się nikt nie wiedział, gdzie to jest.

– Do diaska, kawał drogi. Chodźcie, umyjcie się i zaraz siądziemy do stołu.

Dzieci zjadły smaczny obiad z panem Żurawiną, a on zabawiał ich historiami ze swojego życia. Miał różne przygody na całym świecie, zanim osiadł na farmie, w południowym Illinois. Pan Żurawina nie chciał trzymać swoich małych gości do późna i o dziewiątej zaprowadził ich do sypialni.

– Śpijcie dobrze – powiedział z szerokim uśmiechem. – Zobaczymy się rano.

Bliźniaki szybko powędrowały do krainy snów, gdzie zastanawiały, czy mama i tata za nimi tęsknią. Nadal smacznie spały, kiedy kogut zapiał kukuryku. Dopiero wtedy się obudziły.

Po solidnym śniadaniu Patka i Pat pokazali panu Żurawinie swój samolot. Uprzejmy starszy pan przygotował im pudełko z kanapkami z klopsami, które włożyli do pudła dla Kłapciaka. Patka rozłożyła na ziemi swoją mapę, a farmer wyznaczył linię przez Illinois do Indiany.

– Teraz musicie tylko lecieć wzdłuż linii kolejowej na wschód. Zaprowadzi was prosto do Nowego Jorku.

Po pożegnaniu „Vin Fiz" sam włączył silnik i dzieci szybko znalazły się w powietrzu. Machały do pana Żurawiny i Druha, a oni robili się coraz mniejsi, aż wreszcie zniknęli.

„Vin Fizowi" już nawet nic nie trzeba było mówić. Wkrótce sam znalazł tory kolejowe i poleciał na wschód, ku wschodzącemu słońcu.

8

Uciekający pociąg

Stan Indiana mignął pod nimi. Okrążyli słynny tor wyścigowy w Indianapolis, gdzie w Memorial Day* samochody pędziły wzdłuż wielkiego owalu. Ale tego dnia tor i trybuny były puste. Potem pojawiło się Ohio. Lecieli nad dywanem zielonych łagodnych wzgórz porośniętych gęstymi liściastymi lasami, z łąkami pełnymi kwiatów we wszystkich kolorach tęczy.

– Gdzie teraz jesteśmy? – zapytał Pat po raz kolejny.

---

* Memorial Day – amerykańskie święto ku czci żołnierzy poległych na wojnach, obchodzone 30 maja (przyp. red.).

Uciekający pociąg

– Miasto po prawej to Chillicothe – odparła Patka, sprawdzając na mapie.

– Śmieszna nazwa.

„Vin Fiz" leciał nieomylnie wzdłuż dwóch lśniących szyn szlaku kolejowego. Zaciekawiło ich, że szyny łączą się, zanim znikną, na wiele kilometrów przed nimi, za horyzontem. Niedługo potem zobaczyli pociąg stojący na torach. Pat natychmiast wyczuł, że coś jest nie tak.

– Dziwne – powiedział.

– Co w tym dziwnego?

– To pociąg pasażerski. Zatrzymuje się tylko na stacji. A tu nie ma stacji. Stoi na wiejskim pustkowiu.

– Może się zepsuł.

– Przelećmy nad nim i sprawdźmy.

„Vin Fiz" natychmiast zniżył lot i pędząc w stronę ostatniego wagonu, śmigał zaledwie trzy metry nad torami. Przez chwilę wyglądało to, jakby miał się zderzyć z wagonem na samym końcu. Ale kiedy zostało tylko piętnaście metrów, wzbił się i gwizdnął nad wagonami, niemal dotykając kołami dachów. Bliźniaki uważnie się rozglądały, lecąc nad pięcioma wagonami pasażerskimi, jadalnym, bagażowym, węglarką i wreszcie nad wielką lokomotywą parową pomalowaną na niebiesko i złoto. I szybko zrozumiały, co się dzieje. Pociąg się nie zepsuł, ale został zatrzymany przez bandę, która kradła pasażerom kosztowności i zabierała wszystkie pieniądze i całe złoto przewożone w wagonie bagażowym. Kiedy bandziory już obrabowali pasażerów ustawionych wzdłuż torów, kazali im z powrotem wsiąść do pociągu. Przy lokomotywie, niedaleko toru maszynista i palacz stali przywiązani do drzewa.

Wszystko to Patka i Pat zobaczyli w mgnieniu oka... no, może w dziesięć mgnień. Ledwie przelecieli przez dym znad wysokiego komina lokomotywy, usłyszeli głośne trzaski i dziwne świszczące dźwięki. Kłapciak zaczął szczekać i kręcić się w pudle, jakby chciał bliźniakom coś powiedzieć. „Vin Fiz" natychmiast zorientował się w sytuacji, bo w jego skrzydłach nagle pojawiły się dziury.

– O kurczę! – krzyknęła Patka. – Bandyci strzelają do nas.

Ledwie to powiedziała, „Vin Fiz" skręcił ostro, przemknął nad zagajnikiem wysokich dębów i zniknął napastnikom z oczu. Silnik zaryczał, zakrztusił się i znów zaryczał, jakby wyrażając gniew.

– Musimy coś zrobić! – zawołał ponaglająco Pat.

– Polecimy do najbliższego miasteczka i powiemy o tym szefowi policji – odpowiedziała Patka.

– W małych miasteczkach są szeryfowie, a nie szefowie policji.

– Co za różnica, skoro jedni i drudzy pilnują porządku?

Nie chcieli się dłużej spierać. Trzeba było działać. Pat zobaczył wiejski dom nad jeziorem.

VIN FIZ

– Tam, „Vin Fiz", ląduj – polecił.

Zanim można by powiedzieć „hop, siup, tra-lala", koła samolotu dotknęły ziemi i zatrzymały się przed drzwiami wiejskiego domu. Nie minęła sekunda i Patka dobijała się do drzwi. Otworzyła je na oścież duża, okrągła kobieta w zielonym fartuchu. Trzymała miskę i ubijaczkę do jaj.

– A niech to, dzieci, co wy wyprawiacie? – Wtedy zobaczyła samolot i basseta w skórzanej pilotce i goglach, który patrzył się na nią z wielkim językiem wysuniętym z pyska. – Co, u diaska... – Przyglądała się im zmieszana. – Skąd wy jesteście?

– Z Castroville w Kalifornii – odpowiedziała Patka, zanim Pat zdążył ją powstrzymać.

– Wielkie nieba, znam Castroville. Stamtąd są karczochy.

Pat był zdumiony. Nie mógł uwierzyć, że w końcu znaleźli kogoś, kto słyszał o ich Castroville.

Uciekający pociąg

– Proszę – zaczęła błagać Patka – musi pani zadzwonić do szeryfa i powiedzieć mu, że kilometr od pani farmy bandyci napadli na pociąg. Duża, gruszkowata gospodyni nie bardzo uwierzyła Patce. Popatrzyła na nią zdziwiona.

– Bandyci napadli na pociąg? – spytała.

Patka kiwnęła głową.

– Zatrzymali go i okradają pasażerów. Niech pani szybko zadzwoni do szeryfa. Może jeszcze uda się ich złapać.

Kobieta z niedowierzaniem przyglądała się Patce. Zobaczyła, że dziewczynka jest bliska płaczu.

– Dobrze. Zadzwonię do szeryfa Szpili i przekażę, że bandyci zatrzymali pociąg. – Jak słonica biegnąca na czele stada, ogromna gospodyni pognała do domu, do telefonu.

– Szybko! – krzyknął Pat do Patki. – Musimy wrócić i śledzić złodziei. Zobaczyć, dokąd jadą.

To, co ujrzeli, kiedy „Vin Fiz" latał wokół pociągu, trzymając się poza zasięgiem kul z pistoletów bandytów, sprawiło, że przeszły ich ciarki. Mężczyźni znieśli łup do zielonego autobusu i przygotowywali się do ucieczki. Pat policzył, że jest ich pięciu, wszyscy w maskach i wełnianych czapkach naciągniętych nisko, żeby ukryć włosy. Dwóch strzeliło do „Vin Fiza", kiedy się do nich zbliżył. To było straszne, ale jeszcze straszniejsze, że bandyci uruchomili lokomotywę i pociąg zaczął jechać po torach. Nie byłoby w tym niczego złego, gdyby maszynista i palacz zajmowali swoje miejsca. Ale oni nadal stali przywiązani do drzewa. Nikt nie obsługiwał zaworów ani dźwigni i pociąg błyskawicznie się rozpędzał z przeszło setką mężczyzn, kobiet i dzieci uwięzionych w wagonach pasażerskich.

– Musimy uratować tych nieszczęśników! – zawołała głośno Patka, przekrzykując wiatr.

– Nie damy rady zatrzymać pociągu! – odparł Pat, kątem oka sprawdzając, w którą stronę uciekają bandyci.

Uciekający pociąg

– Nie możemy po prostu latać sobie i nic nie robić.

– No to przynajmniej polecimy przodem i w razie czego ostrzegajmy inne pociągi, które znajdą się na tym samym torze. – Chwycił dźwignię, chociaż nie po to, żeby sterować samolotem, tylko żeby poczuć w palcach ducha „Vin Fiza". – Leć! – zawołał do zaczarowanego samolotu. – Leć najszybciej jak potrafisz nad torami przed pociągiem.

„Vin Fizowi" nie trzeba było powtarzać. Jakby rozumiał każde słowo Pata, zrobił szeroki zakręt i zaczął pędzić tuż nad torami z prędkością, która zapierała bliźniakom dech w piersi. Dwupłatowiec braci Wright leciał coraz szybciej.

Srebrne tory rozmazywały się i oślepiały blaskiem.

Wydawało się, że są tak blisko, że Patka mogłaby sięgnąć w dół i ich dotknąć – chociaż nawet nie myślała, żeby spróbować.

VIN FIZ

Słupy telefoniczne śmigały obok toru, szybciej niż Pat nadążał je liczyć. Bliźniaki nie sądziły, że „Vin Fiz" potrafi pruć powietrze z taką szybkością. Siedziały mocno wciśnięte w oparcia. Nie mogły pochylić się do przodu, więc tylko wczepiały się w poręcze siedzeń i patrzyły, jak pola żyta i pszenicy przemykają w oszałamiającym tempie.

Samolot nie miał prędkościomierza ani wskaźnika prędkości wiatru, więc Pat i Patka nie mieli pojęcia, z jaką szybkością lecą, ale założyliby się o ostatniego centa ze swoich świnek, że sto pięćdziesiąt kilometrów na godzinę.

Kłapciak był w psim raju. Jak pies w samochodzie, który wychyla się przez otwarte okno i wychwytuje dziesiątki zapachów niesionych przez wiatr, wąchał, wąchał i wąchał. Nos basseta jest bardzo czuły, więc przeszczęśliwy Kłapciak nasiąkał zapachami z okolicy.

Zauważyli przed sobą dwóch mężczyzn, przesuwali w przód i w tył dźwignie drezyny.

Uciekający pociąg

Pewnie chcielibyście wiedzieć, co to drezyna. To napędzany ręcznie wagon, używany do przewożenia towarów i robotników. Wygląda trochę jak huśtawka.

– Stop! – wrzasnął Pat i „Vin Fiz" ostro zwolnił. – Uciekajcie! – ryknął do wystraszonych robotników. – Torem zbliża się uciekający pociąg.

Mężczyźni przez chwilę stali jak wryci, ale uwierzyli Patowi na słowo i szybko zdjęli drezynę z szyn. Potem „Vin Fiz" dalej popędził nad torami, jakby gonił go wielki zjadacz samolotów. Nagle pojawił się tunel. „Vin Fiz" zawahał się, zanim podjął decyzję. Zamiast przelecieć nad wielkim wzgórzem, jak zrobiłby każdy inny logicznie myślący samolot, śmiertelnie nastraszył bliźniaki, dając nura wprost w zionący otwór wjazdu, czarny jak sadza na ich kominku w domu. Widzieli tylko maleńkie światełko w oddali. Ale „Vin Fiz" mknął prosto jak strzała, nie dotykając ścian ani sufitu tunelu, aż znów wypadł na słońce.

VIN FIZ

Strach już minął. Patka i Pat z ulgą zobaczyli przed sobą miasteczko ze stacją kolejową. Ale zaraz znowu wpadli w popłoch. Na stacji stał pociąg pasażerski pełen ludzi – przodem do nadjeżdżającej lokomotywy. Dzieci patrzyły na to przerażone, bo widziały, że zbliża się straszna katastrofa.

Jeśli pociąg, który już sapał i dyszał na stacji, nie zjedzie z drogi na czas, będzie okropny karambol. „Vin Fiz" jednak nie marnował ani minuty. Nie oglądał się na bliźniaki, tylko zanurkował w stronę torów, błyskawicznie wyrównał lot i wylądował przed lokomotywą. Zatrzymał się kilkanaście centymetrów przed odgarniaczem – śmieszną, opadającą do ziemi konstrukcją, zamontowaną z przodu lokomotywy, aby odgarniała przeszkody. Nazywa się to też łapaczem krów, ale krowy zazwyczaj są za płotami i prawie nigdy nie wchodzą na tory, więc rzadko zdarza się przypadek, żeby odgarniacz odpychał je z szyn.

Uciekający pociąg

Pat i Patka nigdy nie wątpili w zaczarowaną mądrość samolotu. Podbiegli do maszynisty i zawiadowcy stacji, którzy stali na peronie, i bez tchu opowiedzieli im historię o bandytach i uciekającym pociągu. Maszynista i zawiadowca od razu uwierzyli w opowieść dzieci. Zapytali tylko, czy pociąg nadjeżdża tym samym torem. Kiedy usłyszeli, że tak, popatrzyli na siebie z niepokojem. Zawiadowca w czarnym mundurze i okrągłej czapce, podrapał się po policzku.

– Dziwne – mruknął. – „Słoneczny Ekspres" powinien jechać torem północ–południe, a nie wschód–zachód. Zatelegrafujmy do stacji na rozgałęzieniu, żeby sprawdzić, czy przejeżdżał.

Wszyscy pobiegli na stację, gdzie zawiadowca kazał operatorowi telegrafu wysłać telegram do poprzedniej stacji i zapytać, czy przejeżdżał „Słoneczny Ekspres". Odpowiedź nadeszła w kilka sekund. Nie, „Słoneczny Ekspres" nie przejeżdżał. Był ponad pół godziny spóźniony.

– To może oznaczać tylko jedno – stwierdził z niepokojem zawiadowca. – Bandyci musieli przestawić „Słoneczny Ekspres" na niewłaściwy tor. To dlatego, jak powiedziały dzieci, zmierza w tym kierunku.

– „Słoneczny Ekspres" ciągnie „Supermorfeusz" 4-6-2 – oznajmił maszynista. – To najszybsza maszyna na tej linii.

– Jak to: 4-6-2? – zapytał Pat, jak zwykle zafascynowany wszelkimi mechanizmami.

Maszynista się uśmiechnął.

– To odnosi się do kół maszyny – wyjaśnił. – Cztery małe z przodu, sześć napędowych i dwa małe koła z tyłu, czyli 4-6-2.

– Niedobrze – sapnął zawiadowca. – „Supermorfeusz" może osiągać prędkość dwustu kilometrów na godzinę. Nasz pociąg, „Księżycowa Ciuchcia", jest znacznie wolniejszy.

Maszynista wyglądał naprawdę na zmartwionego.

Uciekający pociąg

– Najbliższa bocznica, gdzie możemy zjechać z głównego toru, znajduje się dwadzieścia kilometrów stąd. Nie dojedziemy na czas. Jak nic zderzymy się ze „Słonecznym Ekspresem", jeśli jedzie pełną parą, a nikogo nie ma przy hamulcu.

– Ale tylko wtedy, jeśli wyrobi się na Zakręcie Wieczności – zauważył zawiadowca. – Bo jeśli „Słoneczny Ekspres" jedzie pełną parą, na pewno wyskoczy z torów, zanim dotrze do naszego pociągu.

– Tak czy siak, lepiej, żeby wszyscy wysiedli z „Księżycowej Ciuchci". Nie ma chwili do stracenia, trzeba zjechać z drogi.

Błyskawicznie nakazał pasażerom opuścić wagony i machnął ręką do maszynisty, który już siedział w swojej kabinie i czekał na sygnał. Maszynista odblokował hamulce, przestawił dźwignię na całą naprzód, otworzył przepustnicę i otworzył pojemniki z piaskiem – piasek rozsypany między koła napędowe a szyny zwiększy tarcie. Takie rzeczy maszyniści z lokomotyw parowych muszą zrobić, żeby pociąg ruszył. Potem z wielkim pióropuszem pary i dymu lokomotywa zaczęła wycofywać się ze stacji. W „Księżycowej Ciuchci" został tylko maszynista z palaczem, gotowi, żeby wyskoczyć, kiedy zobaczą „Słoneczny Ekspres" – jeśli zdołałby przejechać przez Zakręt Wieczności.

Patka i Pat po prostu stali i patrzyli, jak pociąg wolno odjeżdża. Nagle usłyszeli za sobą dziwny dźwięk. Odwrócili się i zobaczyli, że „Vin Fiz" podskakuje na kołach i macha skrzydłami.

– Co on robi? – zdziwiła się Patka.

– Chyba chce nam coś powiedzieć – odparł Pat.

Patka patrzyła na wybryki samolotu i zrozumiała.

– Mamy wsiadać.

Bliźniaki wskoczyły na miejsca. Ledwie zapięły pasy, „Vin Fiz" wzniósł się w powietrze. Zatoczył półkole i poleciał nad torami tam, skąd przybył. Z powrotem przez tunel, z powrotem nad polami żyta i pszenicy, z powrotem obok słupów telegraficznych. Silnik pracował tak szybko, że aż warczał i buczał. „Vin Fiz" pożerał kilometry, mknąc ku uciekającemu pociągowi. Szybciej niż wiatr, szybciej niż ptaki, szybciej niż chmury płynące po jasnobłękitnym niebie, leciał jak promień światła. Gdyby to były wyścigi, pobiłby rekord szybkości. Jak lis nawąchujący wiatr, „Vin Fiz" podleciał do góry, aż znalazł się sto pięćdziesiąt metrów nad bliźniaczymi stalowymi szynami. Z tej wysokości daleko na torach bliźniaki wkrótce zobaczyły smugę czarnego dymu.

– Tam jest! – krzyknęła Patka. – To „Słoneczny Ekspres". Pędzi jak stado oszalałych bawołów!

9

Kłapciak prowadzi

Tak pewnie, jak to, że słońce opada na zachodzie, „Słoneczny Ekspres" pędził z rykiem po torze jak jakiś mechaniczny potwór, który wpadł w szał. Lokomotywa parowa wypluwała gęstą kolumnę czarnego dymu z wysokiego komina; para waliła z boków; wielkie koła napędowe kręciły się szybciej, niż oko mogło nadążyć.

Kiedy pociąg przejeżdżał długi, szeroki zakręt, wagony pasażerskie zakołysały się w obie strony i o mały włos nie wyleciały z torów. Co się stanie, gdy ekspres dotrze do ostrego Zakrętu Wieczności w głębokim kanionie?

Kłapciak prowadzi

Bliźniaki szybowały nad pięcioma wagonami pasażerskimi, wagonami restauracyjnym i bagażowym. Widziały przerażonych pasażerów, którzy patrzyli na nich przez okna oczami wielkimi ze strachu. Gestykulowali jak szaleni, jakby poza ostrzeżeniem „Księżycowej Ciuchci" na stacji dzieci mogły jeszcze coś zrobić. Patka i Pat byli bezradni. Zdawali sobie sprawę, że to kwestia minut i „Słoneczny Ekspres" ze wszystkimi mężczyznami, kobietami i dziećmi w środku albo zderzy się z innym pociągiem, albo wypadnie z szyn.

– Naprawdę nic nie możemy zrobić? – jęknęła Patka.

Zanim Pat zdołał odpowiedzieć, „Vin Fiz" znowu sam postanowił działać. Zanurkował i leciał nad pędzącym pociągiem, aż zrównał się z węglarką.

– „Vin Fiz"! – krzyknął Pat. – Co ty wyprawiasz?

Ale dwupłatowiec nie odpowiedział. Nic w tym dziwnego, skoro samoloty nie potrafią

123

mówić, przynajmniej tak jak my to robimy. Zawisł nad węglarką, opuszczał się coraz niżej, aż znalazł się tuż nad nią i znieruchomiał. Wiejący do tyłu dym pokrywał ich sadzą. Nagle samolot opadł, a koła zagłębiły się w węglu z miękkim chrrum.

– Co on zamierza zrobić? – dziwiła się podekscytowana Patka.

Pat wiedział równie mało co siostra.

– Trudno mi uwierzyć, że władował nas do uciekającego pociągu.

Ale bliźniaki już doskonale się orientowały, że „Vin Fiz" rzadko robi coś bez dobrego powodu. Wkrótce zaświtało im w głowach, dlaczego usadził ich na węglarce.

– Chce, żebyśmy zatrzymali pociąg! – zawołała Patka.

– No dobra, ale jak? – prychnął Pat. – Nigdy nie czytałem podręcznika obsługi lokomotyw.

– Musimy spróbować. Jak spróbujemy, to zrobimy. Jak zrobimy, może się nam udać.

Kłapciak prowadzi

Pat nie podzielał optymizmu siostry. Nie miał wątpliwości, że zadanie spada na niego. W wielu sprawach Patka była od niego mądrzejsza, ale na urządzeniach mechanicznych on znał się lepiej. To oczywiste, że „Vin Fiz" postawił ich na węglarce, żeby przedostali się do kabiny lokomotywy. Gdy tylko rozpięli pasy, musieli uważać, żeby nic im się nie stało, bo pędzący pociąg trząsł się i podskakiwał gwałtownie. Hałas kół toczących się po szynach, buzowanie w palenisku, świst pary buchającej z cylindrów i wiatru niemal całkowicie ich ogłuszały.

Pat od czasu do czasu powstrzymywał Patkę ramieniem i pełzł na łokciach i kolanach po czarnym węglu, który był używany jako paliwo do kotła lokomotywy. Wreszcie dotarli do skraju węglowej górki i stoczyli się po stosie na podłogę węglarki. Stamtąd, mocno łapiąc się wszystkiego, czego można się złapać, żeby nie wypaść z trzęsącego się i podskakującego pociągu, przedostali się do kabiny maszynisty.

VIN FIZ

Najpierw uderzył ich niemiłosierny żar. W kabinie panowała spiekota jak latem na pustyni. Gorąca wystarczyłoby, żeby upiec szarlotkę. Mieli wrażenie, jakby wpełzli do pieca. Ognista temperatura pochodziła z paleniska, płonącego pieca, który podgrzewał wodę w kotle i zamieniał ją w parę napędzającą maszynę. Bandyci musieli nasypać z pół tony węgla, zanim uciekli, bo ogień był bardzo rozbuchany.

Potem rzucił im się w oczy gąszcz zaworów, wskaźników i dźwigni. Zobaczyli wskaźnik ciśnienia pary, wskaźnik temperatury, wskaźnik wody i co najmniej dziesięć zaworów – wszystko to pomalowane na czerwono. I były dwie długie dźwignie – jedna, z oznaczeniem „Do tyłu", sterczała z podłogi, a druga, z napisem „Przepustnica", wystawała ze szczytu paleniska.

– Och nie! – zawołała Pat, przekrzykując stukanie i syczenie potężnego silnika. – Zbliża się stacja!

Kłapciak prowadzi

Zdążyli tylko zerknąć przez okno, kiedy „Słoneczny Ekspres" jak tornado przemknął z rykiem przez stację, niemal zdmuchując z peronu zawiadowcę, maszynistę i pasażerów z drugiego pociągu. A potem stacja i wszyscy ludzie z wielkim wziuuu zostali z tyłu, a „Słoneczny Ekspres" szaleńczo gnał dalej ku pewnej zagładzie na Zakręcie Wieczności.

Pat wstał i przyjrzał się dokładnie plątaninie zaworów i rur, które wyglądały jak dzikie rośliny w dżungli.

– Kręćmy zaworami. – Starał się sprawiać wrażenie, że wie, co robi.

– Którymi? – zapytała Patka.

– Sama wybierz. Ja zajmę się dźwigniami.

Uchwyty zaworów były gorące, ale Patka znalazła rękawicę zostawioną przez uprowadzonego palacza i zaczęła obracać uchwyty tak szybko, jak tylko mogła. Wiedziała, że aby zamknąć zawór, trzeba kręcić w prawo. Pamiętała słowa „w lewo odkręć, w prawo zakręć". Z początku nic nie zadziałało, ale kiedy pokręciła czwarty zawór – okrągły, większy od innych – szczęście się do niej uśmiechnęło. Odcięła dopływ pary do wielkich tłoków, które poruszały się do przodu i do tyłu wewnątrz cylindrów napędzających wielkie koła.

– Chyba zwalnia! – zawołała uradowana.

– Udało ci się! – krzyknął Pat. – Wyraźnie tracimy prędkość.

Rzeczywiście, pociąg zwolnił, ale zdecydowanie za mało. Patka powstrzymała moc, która napędzała pociąg, ale siła rozpędu sprawiała, że mknął po torach jak rakieta.

I oto pojawił się Zakręt Wieczności. A wraz z nim wyłoniła się „Księżycowa Ciuchcia", która właśnie cofała po ostrym zakręcie. Robiła wszystko, co się da, żeby zjechać na boczny tor i uniknąć zderzenia ze „Słonecznym Ekspresem".

Kiedy Patka gorączkowo kręciła zaworami, Pat dokładnie przyglądał się oznaczeniom na różnych dźwigniach. Przestawił dźwignię z napi-

Kłapciak prowadzi

sem „Hamulec" z pozycji „wyłączony" na „włączony".

– Hura! – wrzasnął, kiedy hamulce powietrzne zadziałały we wszystkich wagonach pasażerskich i stalowe koła zaczęły się ślizgać po torach. Ale to nadal nie wystarczało, żeby zatrzymać uciekający pociąg. Jego szybkość zmniejszyła się do stu czterdziestu kilometrów na godzinę, czyli robił czterdzieści metrów na sekundę – ale zostało tylko dwieście metrów do wejścia w karkołomny zakręt przy prędkości, która wystarczała, żeby wypaść z torów. Wtedy Pat pociągnął do samego końca dźwignię oznakowaną „Do tyłu". Wielkie koła natychmiast zmieniły kierunek ruchu i zaczęły się kręcić do tyłu. Ale między stalowymi kołami a stalowymi szynami prawie nie było tarcia i pociąg tylko ślizgał się po szynach.

Od Zakrętu Wieczności dzieliło ich zaledwie pięćdziesiąt metrów, a od drugiego pociągu sto metrów.

Ale Pat nie skończył.

Przepustnica była już całkowicie otwarta, silnik pracował na wstecznym. Pat najszybciej jak umiał otworzył dwa „Zawory z piaskiem". Piasek posypał się na tory. Wielkie stalowe koła tarły teraz o szyny i pomogły hamulcom zatrzymać pociąg.

„Słoneczny Ekspres" wchodził w Zakręt Wieczności z prędkością, która opadała ze stu czterdziestu do siedemdziesięciu kilometrów na godzinę, ale nadal była niebezpieczna. Tymczasem, „Księżycowa Ciuchcia" cofała się z prędkością sześćdziesięciu kilometrów na godzinę i „Słoneczny Ekspres" rósł w oczach.

Pędzący pociąg wpadł w ostry zakręt i wszystkie wagony pochyliły się na bok, a koła po zewnętrznej stronie uniosły się nad szyną. Ale ciągnięty wstecz przez hamulce i koła napędowe pociąg niemal od razu przywarł do toru jak sowa do gałęzi.

Kłapciak prowadzi

Przez kilka sekund na dwoje babka wróżyła, ale w końcu, ku wielkiej uldze Patki, Pata, maszynisty i palacza w kabinie „Księżycowej Ciuchci" oraz wszystkich pasażerów „Słonecznego Ekspresu", pociąg zatrzymał się z wielkim pióropuszem czarnego dymu unoszącym się z komina i kłębami syczącej pary.

Och, to podniecenie, ta przygoda, to niebezpieczeństwo i ten dreszczyk! Na szczęście było już po wszystkim.

Ale niezupełnie.

Zanim maszynista, palacz i pasażerowie „Słonecznego Ekspresu" zdołali podziękować za uratowanie im życia, Patka i Pat zaczęli myśleć o złapaniu bandytów, którzy sprowadzili tak wielkie niebezpieczeństwo. Znów wzlecieli pod niebo. „Vin Fiz" uniósł ich prosto z węglarki i zawrócił tam, gdzie po raz ostatni widzieli nikczemnych złodziei. Teraz rzecz polegała na tym, żeby znaleźć ślad, który bandyci pozostawili podczas ucieczki. Czy „Vin Fiz" da radę podjąć pościg? – zastanawiały się bliźniaki. Czy zdoła wyśledzić zimny już trop do kryjówki złoczyńców?

Pat i Patka nie musieli długo czekać.

Kiedy przelatywali nad miejscem, gdzie „Słoneczny Ekspres" został obrabowany, zobaczyli cztery samochody ze znakami Biura Szeryfa Hrabstwa Oglebee. Szeryf Szpila i jego zastępcy rozmawiali z maszynistą i palaczem „Słonecznego Ekspresu", których odwiązali od drzewa. Rodzeństwo poleciało dalej, aż do skrzyżowania. Wtedy Pat kazał „Vin Fizowi" wylądować.

Nie tylko zaczarowany samolot mógł śledzić trop zostawiony przez ludzi. Ledwie koła się zatrzymały, Pat postawił Kłapciaka na ziemi i wydał komendę:

– Kłapciak, bierz ich!

Basset natychmiast zaszczekał i zaczął biec drogą prowadzącą na zachód. Bliźniaki wiedziały, że na piechotę nie dopędzą Kłapciaka, więc wskoczyły z powrotem do samolotu i leciały za swoim pupilem na wysokości trzydziestu metrów. Pat i Patka uważnie przyglądali się okolicy, wypatrując zielonego autobusu. Na każdym skrzyżowaniu Kłapciak stawał i nawąchiwał powietrze swoim niezwykle wrażliwym czarnym nosem. Gdy złapał zapach bandytów, pognał na północ. Niecałe dwa kilometry dalej zatrzymał się na skrzyżowaniu, gdzie wąska wiejska droga skręcała do lasu. Poniuchał przy ziemi, wychwycił właściwy zapach i zadowolony pognał ścieżką zarośniętą chwastami.

Patka i Pat wlecieli za nim, ale kiedy zniknął pod drzewami, widzieli tylko gęstą pokrywę liści. „Vin Fiz" tak ustawił pracę silnika, żeby z rur wydechowych nie wydobywały się żadne trzaski. Tylko on wiedział, jak to zrobić. Patka i Pat po raz drugi czuli się jak w szybowcu bezszelestnie niesionym z wiatrem.

Przelecieli nad zachwaszczonym polem, na którym kiedyś rosły rośliny uprawne. Wyglądało, jakby porzucono je już dawno temu i natura znów zagarnęła je dla siebie. Pośrodku pola znajdowała się opuszczona posiadłość. Ale trzeba wiedzieć, że nie takie zwyczajne gospodarstwo, ale wiejski dwór zbudowany z kamienia, wielki prawie jak zamek. Przed laty musiał należeć do miejscowego ziemianina.

Była tam stróżówka z wysoko sklepionym wejściem prowadzącym na główny dziedziniec. Wokół stały różne budowle i duży dwupiętrowy dom, i mniejsze zabudowania, stajnie i kwatery dla służby. Wszystko wyglądało na opuszczone i podupadłe, bo od wielu lat nikt się tym nie zajmował. Wszędzie wznosiły się iglice i wysokie kominy – co najmniej osiem. Cztery okrągłe wieże ze stożkowatymi dachami stały w czterech rogach dworu.

Patka pomyślała, że to straszne i nawiedzone miejsce. Już niemal wyobrażała sobie stukanie kopyt duchów koni na dziedzińcu. Dwór był w części zrujnowany, smutny cień dawnej chwały.

Kłapciak prowadzi

Kłapciak siedział przed wielką zardzewiałą bramą prowadzącą na dziedziniec i szczęśliwy machał ogonem, bo wyśledził bandytów w ich kryjówce.

– Kiedy wylądujemy, ty i „Vin Fiz" polecicie z powrotem i powiesz szeryfowi, że znaleźliśmy miejsce, gdzie ukryli się złodzieje – zwrócił się Pat do siostry. – Ja zbadam teren.

– Jakoś nigdzie nie widzę zielonego autobusu – mruknęła z powątpiewaniem Patka.

– Musieli go schować.

– Jesteś pewien?

– Kłapciak nie doprowadziłby nas tutaj, gdyby nie biegł za tropem bandytów.

– Bądź ostrożny. – Patka bała się o brata.

– Nie ma strachu – odparł odważnie Pat.

„Vin Fiz" zrozumiał plan, wylądował i szybko wystartował z powrotem, gdy tylko chłopiec zeskoczył na ziemię i pobiegł w stronę muru, a potem do wielkiej żelaznej bramy. Patowi wydawało się, że brama od dawna nie była otwierana, bo wszystkie pręty miała bardzo zardzewiałe. Ale potem spojrzał w dół i zobaczył ślady opon ciężarówki albo autobusu. Próbował znaleźć sposób, jak przedostać się za bramę z wielkim zamkiem i łańcuchem, kiedy Kłapciak położył się na brzuchu i przeczołgał pod spodem. Pat zrobił to samo i ruszył pędem za psem.

Już na dziedzińcu zakradł się cicho do uchylonych drzwi dawnej stajni. Zajrzał do środka i zobaczył długi czerwony autobus. O nie, pomyślał. Miał nadzieję, że znajdzie zielony autobus. Podszedł do auta i położył rękę na przednim błotniku. Farba była lepka. Zdrapał trochę monetą wyjętą z kieszeni i zobaczył, że pod warstwą czerwieni autobus jest zielony. Bandyci przemalowali go, żeby nikt nie rozpoznał wozu, którym uciekli. Pat nie miał już wątpliwości, że to kryjówka bandytów. Żeby tylko zdołał się ukryć, aż Patka wróci z szeryfem Szpilą i jego zastępcami.

Znalazł drzwi ze stajni do domu i wślizgnął się do środka. Długi korytarz prowadził do wielkiego salonu. Przyciskając się do ściany, prędko podszedł do drzwi po drugiej stronie i zaczął nasłuchiwać rozmów dochodzących z salonu. Był zszokowany, kiedy usłyszał głos brzmiący zaskakująco podobnie do głosu szefa, tego samego, który próbował ukraść złoto. Ale to niemożliwe. Szef siedział w areszcie, w Newadzie. Pat ostrożnie zajrzał za drzwi i zobaczył pięciu mężczyzn. Serce stanęło mu na chwilę, kiedy stwierdził, że jeden z nich wygląda dokładnie tak, jak zły szef z kopalni złota.

– Tak właśnie zrobimy – powiedział. – Weźmiemy pieniądze z napadu na pociąg i wykupimy mojego brata i jego kompanów z aresztu w Newadzie. Potem połączymy siły i razem będziemy rabować pociągi, opancerzone furgonetki i banki w całym kraju. Zanim pryśniemy za granicę, zgarniemy miliony dolarów.

– Podoba mi się to – stwierdził człowiek o twarzy psa.

– Mnie też – dodał człowiek o twarzy fretki.

VIN FIZ

– Wchodzę w ten interes – dorzucił człowiek o twarzy szopa.

– Jestem z tobą, wodzu – powiedział człowiek o twarzy kojota.

Pat osłupiał. Nie wierzył własnym uszom. Szef był bratem wodza, a ten był hersztem innego gangu opryszków. I ci spiskujący bracia wraz ze swoimi wspólnikami planowali dokonywanie przestępstw na ogólnokrajową skalę! Sama myśl o tym podniosła blond włoski na karku Pata. Odwrócił się, żeby uciec i donieść o wszystkim szeryfowi Szpili, ale zanim zdołał się przekraść z korytarza do stajni, Kłapciak wczłapał do wielkiego salonu.

Bassetowi chciało się jeść i było mu wszystko jedno, kto mu da jakiś smaczny kąsek. W jego psim umyśle wszyscy ludzie byli ludźmi. Niektórzy, jak Patka, Pat i Dobrutcy traktowali go łaskawie i ich kochał. Ale jeśli chodzi o jedzenie, polizałby rękę każdego, kto chciałby go nakarmić. Podszedł do długiego stołu, przy którym rozsiedli się gangsterzy, i klapnął na zimnej kamiennej podłodze. Oblizywał sobie pysk językiem, a ogonem walił w posadzkę.

– Skąd wziął się ten pies? – zapytał wódz.

– Nie mam pojęcia – odparł Twarz Psa.

– Ja też – dodał Twarz Fretki.

– Na mnie nie patrz – powiedział Twarz Szopa.

– Podejrzana sprawa – mruknął Twarz Kojota.

Wódz podniósł Kłapciaka i posadził go na stole.

– Jeszcze nigdy nie widziałem psa w skórzanej pilotce i goglach. Chyba jest głodny. Hm, fatalnie. Masz pecha, kolego. Właśnie się zmywamy. Dalej, bando, bierzemy łupy z pociągu i ruszamy do Newady.

Wódz i jego gang odwrócili się od Kłapciaka, który patrzył na nich smutno, widząc, że nie dostanie jeść.

VIN FIZ

Pat był przerażony. Szeryf i jego zastępcy nie nadjeżdżali. Zaczął się zastanawiać, czy Patka przekonała ich, żeby popędzili do dworu. Nie mógł stać i nic nie robić. Musiał zatrzymać gang wodza, aż przybędzie szeryf Szpila.

Zebrał się na odwagę, stanął w drzwiach i krzyknął drżącym głosem:

– Wy tam! Widzieliście mojego psa? Zgubił się.

– Najpierw pies w pilotce i goglach, a teraz jakiś dzieciak – warknął ze złością wódz. Przyjrzał się dokładnie Patowi i zrobił chytrą minę. – Hej, ja cię poznaję. Teraz sobie przypominam. Ty i ten pies byliście w samolocie, który leciał nad nami, kiedy obrabialiśmy pociąg. Strzeliłem do was.

– Tak. – Pat zachowywał się odważniej, niż się czuł. – Widziałem, jak okradacie „Słoneczny Ekspres", i chcę dostać część łupu albo powiem szeryfowi Szpili.

– Znasz szeryfa? – zapytał wódz.

– Dość dobrze.

Kłapciak prowadzi

– Więc myślisz, że masz prawo do udziału w naszym łupie. – Roześmiał się, a jego śmiech niósł się daleko i długo odbijał się echem w całym wielkim salonie. – Ho, ho, a to dowcip, co, chłopaki?

– No, niezły – przytaknął Twarz Psa.

– Jasne – przyznał Twarz Fretki.

– Aleś się wygłupił, mały – parsknął Twarz Szopa.

– Naprawdę śmieszne – zakończył Twarz Kojota.

Pat chciał już coś powiedzieć, ale wódz podniósł wielką czerwoną rękę.

– Cisza. Ponieważ musiałeś wsadzać nos w nie swoje sprawy, ten głupi pies i ty idziecie z nami. – Znów zrobił chytrą minę. – A po drodze możecie mieć mały nieszczęśliwy wypadek. Prawda, chłopaki?

– Pewnie wodzu – przytaknął Twarz Psa.

– Świetny pomysł, wodzu – ucieszył się Twarz Fretki.

VIN FIZ

– Podoba mi się to, wodzu – powiedział Twarz Szopa.

– Dla mnie bomba – stwierdził Twarz Kojota.

– No to załatwione – oznajmił wódz. – Zaprowadźcie ich do autobusu. – Popatrzył groźnie na Pata. – I nie róbcie z psem żadnych sztuczek, bo wypadek przydarzy wam się wcześniej, niż myślicie.

Pat zrozpaczony, że Patka i szeryf Szpila nie przybyli, upadł na podłogę i chwycił się za nogę. Cokolwiek, myślał, żeby tylko zyskać jeszcze jedną minutę.

– Och, moje kolano, coś mi się stało w kolano.

– Tak się dzieje, jak ktoś jest niezdarą. – Wódz złapał go za ramię i pociągnął do stajni.

Wszyscy wsiedli do autobusu. Ale wcześniej załadowali kilka worków z pieniędzmi zrabowanymi ze „Słonecznego Ekspresu".

Wódz usiadł za kierownicą i wycofał autobus na dziedziniec, tam zakręcił i skierował się w stronę stróżówki. Zahamował. Twarz Szopa wyskoczył z autobusu, włożył klucz w kłódkę i odczepił łańcuch zamykający wielką żelazną bramę. Otworzył ją na oścież. Czerwony autobus wytoczył się i zatrzymał na chwilę, żeby zabrać Twarz Szopa. Dalej już nie pojechał.

W tym momencie pojawił się „Vin Fiz" z Patką za sterami i zaczął krążyć nad wielkim autem.

Wódz popatrzył do góry przez szybę i zamrugał.

– Znów ten samolot! – Wyskoczył z autobusu i podniósł pistolet, żeby strzelić do Patki i „Vin Fiza". Ale zanim zdążył znowu zamrugać i pociągnąć za spust, zobaczył, że są otoczeni przez szeryfa Szpilę i jego zastępców, którzy celują do nich z całego arsenału śrutówek.

– Stać i nie ruszać się – rozkazał szeryf. – Bo inaczej poniesiecie konsekwencje.

– Co to „konsekwencje"? – zapytał Twarz Psa.

– O kurczę – jęknął Twarz Fretki.

– Nie jestem pewien – mruknął Twarz Szopa.

– Ja nie wiem – wyjąkał Twarz Kojota.

– To znaczy, że czegoś będziemy bardzo żałowali, durnie – wycedził wódz. Zwrócił się do Pata: – To twoja wina. Powinienem zająć się tobą i twoim głupim psem, kiedy miałem okazję.

Na te słowa Kłapciak chwycił zębami nogawkę wodza i rozerwał spodnie.

– Dobrze, że nie mieliście tej okazji – powiedział szeryf Szpila.

Jego zastępcy zaprowadzili wodza i bandę do samochodów patrolowych. Gangsterzy wrzeszczeli i protestowali na każdym kroku. Szeryf zwrócił się do Patki i Pata.

– Nie zdziwiłbym się, gdyby kolej znalazła ładną nagrodę za wasze odważne zachowanie. – Pochylił się i pogłaskał Kłapciaka. – I założyłbym się, że dostaniesz torbę kości.

Kłapciak jak szalony machał ogonem. Już się nie mógł doczekać, żeby zatopić zęby w tych kościach.

Kłapciak prowadzi

– A co z „Vin Fizem"? – odezwała się Patka. – Jemu należy się najwięcej.

Szeryf Szpila wydawał się zdumiony.

– A kto to „Vin Fiz", jeśli wolno zapytać?

– Nasz samolot – odparł Pat. – Bez niego nic byśmy nie zrobili.

Szeryf podrapał się po brodzie.

– Nie wiem, jak odznacza się samoloty za odwagę, ale na pewno coś wymyślimy. – Jakiś pomysł zaświtał mu w głowie i Szeryf się uśmiechnął. Potem sięgnął do koszuli i zdjął odznakę. – A może wy, wasz pies i samolot zostalibyście honorowymi członkami Biura Szeryfa hrabstwa Oglebee? – Mówiąc to, przypiął odznakę do pilotki Kłapciaka.

„Vin Fiz" z radości zadygotał skrzydłami, a Kłapciak smagał ogonem ziemię.

Wszyscy byli szczęśliwi. Zewsząd rozległy się słowa pożegnania, a szeryf Szpila obiecał, że każe przesłać nagrodę od kolei na farmę w Castroville.

VIN FIZ

I znów znaleźli się w powietrzu, lecieli na północny wschód, do Nowego Jorku. Z białych kłębiastych chmurek spadł lekki deszczyk, powstała piękna tęcza, pod którą przemykał „Vin Fiz".

To był wspaniały dzień, a do Nowego Jorku zostało tylko kilka godzin drogi.

10

Nad wodospadem Niagara

„Vin Fiz" zrobił szeroki zakręt i poleciał nad
północno-zachodnim skrajem Pensylwanii, trzymając się wybrzeża jeziora Erie. Szybowali nad
wodą, śmigali nad białymi, niebieskimi i czer-
wonymi żaglami – flota żaglówek ścigała się na
jeziorze. Popychane przez wiatr łodzie ślizgały
się po falach i wyglądały jak tańczące motyle.
Wkrótce „Vin Fiz" przeleciał nad ujściem szerokiej rzeki, która wpadała do jeziora.

– Gdzie teraz jesteśmy? – zapytał Pat po
raz dziesiąty tego ranka. – Co to za miasto pod
nami?

VIN FIZ

Patka wiedziała bez patrzenia na mapę.

– Buffalo – odpowiedziała uszczęśliwiona. – Przemierzyliśmy cały kraj aż do Nowego Jorku. Niedługo zobaczymy Atlantyk.

– „Vin Fiz" powinien skręcić na wschód, ale on chyba chce, żebyśmy polecieli na północ, w górę rzeki.

– Ciekawe dlaczego – zastanawiała się głośno Patka.

– Co to za rzeka?

– Niagara. To granica między Stanami Zjednoczonymi a Kanadą.

Patrzyli na szeroką, krętą rzekę, której brzegi wznosiły się i spotykały z obfitością zielonych pól i lasów. Wkrótce zobaczyli białą mgłę unoszącą się pod niebo i usłyszeli donośne huczenie, które robiło się coraz głośniejsze. Po chwili ujrzeli budzące grozę piękno i niezwykłe widoki wodospadu Niagara. Potężna rzeka spadała z wysokiego na pięćdziesiąt trzy metry urwiska. Właściwie rozdzielała się na dwie rzeki. Jedna

Nad wodospadem Niagara

płynęła wokół Wyspy Koziej, formując wodospad amerykański po jednej stronie, a po drugiej spływała kanadyjskim wodospadem Podkowa. Prawie trzy i pół miliona litrów wody na sekundę pędziło przez wodospady.

Patka i Pat patrzyli w zachwycie na rzekę, której rwąca, ciemnoniebieska woda zamieniała się w mieszaninę bieli i turkusu, gdy spadała i uderzała w skały daleko w dole. Czuli grzmot wodospadu, gdy woda kłębiła się w wielkiej chmurze białej mgły.

– Myślisz, że „Vin Fiz" zboczył z drogi, żebyśmy mogli zobaczyć wodospady?! – spytał Pat, przekrzykując ryk wody.

– Nie sądzę! – odkrzyknęła Patka. – Patrz, zawraca i zabiera nas w górę rzeki.

Zaczarowany samolot miał zdumiewające wyczucie niebezpieczeństwa i leciał szybko nad rozszalałą wodą, która płynęła coraz prędzej, zanim spadła przez skalistą półkę. Pół kilometra przed wodospadami Patka i Pat zobaczyli

VIN FIZ

małą łódkę z dwoma nastoletnimi dziewczynkami, niesioną w stronę wodospadu. Ludzie na brzegu wołali bezsilnie, a szybki prąd znosił łódeczkę z jej pasażerkami w stronę kipiącej krawędzi.

– Musimy coś zrobić, żeby im pomóc, bo inaczej zginą! – powiedziała Patka.

– „Vin Fiz" będzie wiedział, co robić. Popatrz, już zawraca i leci nad łódkę.

Oczywiście „Vin Fiz" dokładnie wiedział, co robić. Zaczarowany samolot, który miał nadprzyrodzoną moc, jakoś wyczuł, że nad wodospadem Niagara rozegra się tragedia i że tylko on zdoła jej zapobiec. Zlatywał coraz niżej nad wodę. Łódź w zawrotnym tempie zbliżała się do wodospadu, aż zostało tylko trzysta metrów.

Kiedy „Vin Fiz" zwolnił i zawisł nad łodzią, dziewczynki podniosły wzrok i zobaczyły samolot z pilotami bliźniakami. Przerażone przytulały się do siebie; wodospad był już tylko dwieście metrów od nich, a ta odległość zmniejszała się

Nad wodospadem Niagara

z każdą sekundą. Wydawało się, że nie ma sposobu, żeby je uratować.

Samolot zaczął zniżać się nad łódką i Pat zrozumiał, o co „Vin Fizowi" chodzi.

– Łapcie za płozy i trzymajcie się mocno! – wrzasnął w dół, do dziewczyn.

Ale one osłupiały z przerażenia. Nie zrobiły żadnego ruchu, nie sięgnęły do góry, żeby się ratować.

Zostało mniej niż dwieście metrów, Pat zszedł ze swojego miejsca i usiadł okrakiem na kołach.

Dziewczynki nadal przytulały się do siebie ogarnięte paniką.

Zostało sto metrów do grzmiącej przepaści i „Vin Fiz" wziął sprawy w swoje ręce, a raczej tym razem w swoje koła. Opadł, aż płozy znalazły się o kilkanaście centymetrów od uniesionych twarzy dziewczynek. Czas uciekał.

– Łapcie! – krzyknął Pat. – Teraz!

Wreszcie otrząsnęły się ze strachu i sięgnęły do góry. Pat złapał je za przeguby i znów krzyknął, kiedy zobaczył, jak woda, kłębiąc się, spada w wielką pustkę niecałe piętnaście metrów przed nimi.

– Złapcie za płozę drugą ręką. Nie mogę utrzymać was obu.

W końcu, w ostatniej sekundzie, zdając sobie sprawę, że przerażający spadek jest zaledwie trzy metry dalej, wolnymi rękami chwyciły za płozy. Gdy „Vin Fiz" odleciał znad ryczącego wodospadu, tony wody śmigały pod samolotem i spadały kaskadami na skały daleko w dole.

Pat ściskał nadgarstki dziewczynek z całej siły, ale nie dałby rady ich utrzymać dłużej niż jeszcze minutę. Wyślizgiwały mu się z uchwytu, bo woda chlapała ze wszystkich stron. „Vin Fiz" rozumiał, co się dzieje. Zanurkował w stronę wody, która spadała na wielką masę skalną w białej chmurze oślepiającej piany.

We mgle pojawił się statek pełen turystów, którzy zapłacili, żeby zobaczyć wodospad od dołu urwiska. Patka odczytała litery na bocznej barierce pokładu. Statek nazywał się „Królowa Mgły".

„Vin Fiz" bez żadnego namawiania nadleciał nad „Królową Mgły" i powoli opuścił się, aż zawisł trzy metry nad głównym pokładem. Turyści szybko zorientowali się w sytuacji i sięgnęli po dwie dziewczynki.

– Dobra, puszczajcie. Już jesteście bezpieczne! – krzyknął Pat, widząc, że pomocne dłonie są ze trzydzieści centymetrów od ich nóg.

Puściły płozy, a Pat w tym samym czasie puścił ich nadgarstki. Obie wpadły prosto w ramiona pasażerów statku. Pat znów usiadł na swoim miejscu.

– Dziękujemy, och, dziękujemy! – zawołały dziewczyny.

Pasażerowie machali i klaskali jeszcze długo, wraz ze wszystkimi ludźmi zgromadzonymi na brzegu, którzy byli świadkami całej akcji ratunkowej.

VIN FIZ

„Vin Fiz" zachowywał się niemal jak człowiek – tańczył na niebie, machał skrzydłami. Patka i Pat dziwili się jego błazeństwom, a jednocześnie zastanawiali się, skąd u samolotu taki niesamowity dar przewidywania. Nie mieli pojęcia, jakim cudem „Vin Fiz" wyczuł, że tym dwóm dziewczynom grozi śmiertelne niebezpieczeństwo.

Wraz z bliźniakami samolot przeleciał jeszcze raz nad huczącą kaskadą, potem zawrócił w stronę Atlantyku. Długa podróż zbliża się do końca.

11

Fantastyczna podróż
dobiega końca

Słońce zaczynało zachodzić za ogonem „Vin Fiza", ciemność pokrywała już ziemię, kiedy Patka i Pat zobaczyli światła Nowego Jorku mrugające w oddali. Patrzyli z podziwem na światła iskrzące się w oknach wieżowców, które zdawały się, dotykają nieba. Spoglądali w dół, na ulice, gdzie aż roiło się od tysięcy samochodów. Cóż to był za nadzwyczajny widok.

„Vin Fiz" jakby sam się nim radował. Wesoło zataczał koła nad szczytami budynków, z których wiele miało bujne ogrody na dachach.

VIN FIZ

– Patrz, Pat! – zawołała z entuzjazmem Patka. – To Empire State Building*.

– Widzę. A ta wielka, otwarta część miasta to Central Park**.

– Pod nami są światła Broadwayu***.

– A tu Wall Street****.

Kiedy „Vin Fiz" dotarł do końca Manhattanu, nazywanego The Battery, skręcił nad rzeką Hudson i przeleciał obok Statui Wolności.

– Piękna, co? – wyrzuciła z siebie Patka. – Nie wiedziałam, że jest zielona. – Przerwała, żeby pokazać kilka wielkich ceglanych budynków na pobliskiej wyspie. – Co to takiego?

– Nie widziałaś zdjęć dziadka Dobrutkiego? Kiedy przypłynął z Europy, musiał przejść przez Ellis Island razem z wszystkimi ludźmi, którzy

---

* Empire State Building – najwyższy budynek w Nowym Jorku.

** Central Park – nowojorski park będący oazą zieleni.

*** Broadway – jedna z najdłuższych ulic na świecie, centrum teatralne Stanów Zjednoczonych.

**** Wall Street – ulica, przy której znajduje się słynna Nowojorska Giełda Papierów Wartościowych.

tutaj przybyli. Zrobił sobie zdjęcie z pierwszego dnia pobytu w Ameryce, stojąc pod flagą przed głównym budynkiem.

Robiło się ciemno i bliźniaki zaczęły szukać miejsca na lądowanie. Na szczęście na niebie pokazał się księżyc w pełni. Było tak jasno, że Patka mogła odczytać swoją mapę.

– Przy brzegu jest ładna piaszczysta plaża. Możemy tam wylądować i spędzić noc, skoro jest tak przyjemnie i ciepło.

– To dopiero byłoby fajnie pójść spać, patrząc na gwiazdy i księżyc i słuchając fal nadpływających z oceanu – powiedział Pat.

– No, bardzo fajnie – odparła sennie Patka.

Pat położył ręce na dźwigniach z nadzieją, że znów będzie mógł sterować samolotem, który leciał sam, odkąd opuścili Castroville. „Vin Fiz" wyczuł, co Patowi chodzi po głowie, i pozwolił mu wyrównać lot, zanim powoli poszybował w stronę szerokiej piaszczystej plaży. Koła dotknęły miękkiego podłoża, a płozy zaryły się w piasku i stanęły. Silnik ucichł, śmigła powoli pracowały na jałowym biegu, aż w końcu się zatrzymały.

– Udało nam się, siostro – powiedział uszczęśliwiony Pat. – Przelecieliśmy przez wielkie Stany Zjednoczone.

– Z niemałą pomocą „Vin Fiza" – przypomniała mu Patka.

Czule poklepał skrzydło.

– Prawda. Bez niego nadal bylibyśmy w Castroville i moglibyśmy tylko pomarzyć sobie o miejscach, które widzieliśmy z chmur.

– Tyle się wydarzyło, że nie wydaje się to prawdziwe.

Kłapciak wyskoczył z pudła i zaczął biegać po plaży i wokół samolotu szczęśliwy, że znowu jest na lądzie. Często towarzyszył rodzinie Dobrutkich na piknikach, na plaży w Castroville. Jako pies, który nie potrafi myśleć, Kłapciak sądził, że jest na plaży Pacyfiku, a nie na innej, odległej o pięć tysięcy kilometrów. Dla niego zobaczyć jedną plażę to tak, jakby zobaczyć wszystkie. Zagrzebał się w piasku i szybko zasnął.

Bliźniaki leżały i patrzyły na księżyc oraz gwiazdy.

– Mam nadzieję, że po drodze do domu nie przydarzy nam się tyle przygód – powiedziała Patka. – Już tyle ich mieliśmy, że wystarczy nam na całe życie.

– Mało prawdopodobne – mruknął Pat. – Powrotna podróż będzie pewnie nudna.

– Myślisz, że mama i tata się niepokoją?

– Nie sądzę. Zaledwie miesiąc temu trzy dni obozowaliśmy w lesie nad rzeką.

– Tęsknię za nimi.

– Wkrótce ich zobaczymy – pocieszył siostrę Pat.

– Patrz, spadająca gwiazda. – Patka wskazała błyszczące pasemko na niebie.

– Ciekawe, czy kiedyś polecimy rakietą do gwiazd.

VIN FIZ

– Może pan Sukop zrobiłby dla nas taką.

– Rakietą do gwiazd – powtórzył Pat. Powieki zaczęły mu opadać. – To byłoby pewnie zbyt wiele.

– Zawsze moglibyśmy spróbować, prawda? – odparła Patka, puszczając wodze wyobraźni.

– Tak... – wymamrotał Pat, powoli zasypiając. – Możemy spróbować. Ale najpierw prześpijmy się trochę. Startujemy wcześnie rano.

Pod księżycem jasnym jak wielka okrągła latarnia, pod dywanem z gwiazd, bliźniaki odpłynęły w sen, w rytm fal przybijających do brzegu z morskiej dali.

12

Znowu w domu

Następnego ranka Patki nie obudził przypływ, ale pianie domowego koguta Dobrutkich. Usiadła, przetarła oczy i się rozejrzała.

Była z powrotem we własnym łóżku, we własnym pokoju na farmie.

Oszołomiona i niezwykle zadziwiona tym, że poszła spać na plaży w Nowym Jorku, a budzi się w Castroville, wstała z łóżka i spojrzała przez okno. Pola ziół nadal otaczały dom rodzinny. W zamyśleniu popatrzyła na magiczną stodołę, z której razem z Patem wybrali się w podróż przez kraj.

VIN FIZ

Nigdzie nie było widać „Vin Fiza".

Zagubiona w myślach zeszła do holu, do pokoju brata, naprawdę przekonana, że obudziła się z ekscytującego, cudownego snu.

Pat siedział na brzegu łóżka i w osłupieniu wpatrywał się w swoją piżamę, zastanawiając się, kiedy ją włożył.

– Jesteśmy w domu – powiedział zdumiony.

– Oczywiście, jesteśmy w domu – powtórzyła jak echo.

Popatrzył na nią.

– Miałem cudowny sen.

– Ja też.

– Śniło mi się, że przelecieliśmy przez Stany Zjednoczone do Nowego Jorku. Po drodze uwolniliśmy mieszkańców miasta na Dzikim Zachodzie, którzy pracowali jako niewolnicy w kopalni złota, i nie dopuściliśmy, żeby parowiec zderzył się z zerwaną z holu barką.

– To było, zanim zatrzymaliśmy uciekający pociąg i uratowaliśmy dwie dziewczynki przed wpadnięciem do wodospadu Niagara – dodała Patka coraz bardziej zdziwiona.

– To był mój sen! – zawołał zaskoczony Pat.

– Ale mój też.

Pat pokręcił w zamroczeniu głową.

– Jak to możliwe, że oboje mieliśmy ten sam sen?

– Wszystko wydawało się takie prawdziwe. – Patka westchnęła tęsknie.

– Ale jeśli naprawdę się zdarzyło, to jak wróciliśmy tak szybko do domu? Nie pamiętam lotu z powrotem.

W tej chwili do pokoju zajrzał pan Dobrutki.

– No, dzieciaki, wstawajcie i się myjcie. Śniadanie gotowe. Spędziliście już dosyć czasu na biwakach w lesie. Macie w domu pracę do zrobienia.

Bliźniaki popatrzyły na siebie z zaskoczonymi minami.

– Nie zachowywał się, jakby nie było nas parę dni – powiedziała Patka.

– Dziwne – przyznał Pat, stawiając stopy na podłodze.

Ima i Ziemowit Dobrutcy z bliźniakami zjedli śniadanie, jak w każdy zwyczajny dzień. Nie powiedzieli słowa, że dzieci zniknęły na tak długo. Nawet Kłapciak jadł ze swojej miski, jakby nigdy nie wylatywał z domu samolotem.

Kiedy właśnie kończyli posiłek, pan Szlachciura, miasteczkowy listonosz, zastukał do drzwi.

– Niech pan wejdzie, panie Szlachciuro – zaprosił go Ziemowit Dobrutki. – Co pana sprowadza na naszą farmę?

– Bardzo ważny list, trzeba podpisać odbiór – powiedział pan Szlachciura, niski mężczyzna ze świecącą łysiną, który motocyklem dostarczał listy i paczki.

– Wypije pan filiżankę kawy? – zapytała Ima Dobrutka.

– Nie, dziękuję. Muszę jechać. Mam mnóstwo paczek do rozwiezienia.

Znowu w domu

Ledwie pan Szlachciura wyszedł, Ziemowit Dobrutki otworzył kopertę, z której wypadł czek bankowy razem z listem. Pan Dobrutki założył okulary i twarz mu pobladła, kiedy przeczytał list.

– Litości! – zawołała Ima Dobrutka. – Nie drażnij się z nami. Mówże, co tam jest napisane.

Powoli, jak we śnie, pan Dobrutki podniósł czek.

– To jest czek wystawiony na rodzinę Dobrutkich na sumę dziesięciu tysięcy dolarów.

– Wielkie nieba! – zawołała zdumiona Ima Dobrutka. – Kto, na litość, przysłałby nam czek na dziesięć tysięcy dolarów?

– List jest od szeryfa Szpili z hrabstwa Oglebee w Ohio.

Patka i Pat patrzyli na siebie przez stół oczami szeroko otwartymi z zaskoczenia. Byli zbyt zdumieni, żeby coś powiedzieć.

– No, nie stój jak słup i mów, o co tam chodzi – ponagliła go niecierpliwie Ima.

– Tu jest napisane, że pieniądze są od Kolei Żelaznej Ohio i Chillicothe i wysłano je jako nagrodę. Nie piszą za co. – Ziemowit Dobrutki powoli pokręcił głową. – To na pewno jakaś pomyłka.

– Na kogo czek jest wystawiony?

Ziemowit podniósł papier do światła.

– Na rodzinę Dobrutkich z Castroville w Kalifornii.

– A niech to!

– Kolej musiała wysłać czek do niewłaściwej rodziny Dobrutkich.

– To nie może być pomyłka – oznajmiła poważnie Ima, biorąc od męża czek. Jesteśmy jedynymi Dobrutkimi w Castroville i okolicy.

Patka i Pat siedzieli cicho, nic nie mówili, obawiając się opowiedzieć o swoich przygodach, nadal niezbyt pewni, czy to wszystko im się nie przyśniło.

– Zrobimy tak – odezwał się wreszcie Ziemowit. – Zaniesiemy czek do naszego banku, ale nie będziemy wydawać pieniędzy. Napiszę do Kolei Żelaznej Ohio i Chillicothe. Jeśli powiedzą, że to pomyłka, wtedy go odeślemy.

– A jeśli powiedzą, że to nie pomyłka i żebyśmy zatrzymali pieniądze? – zapytała z wahaniem Ima.

Mądry uśmiech pojawił się w kącikach ust Ziemowita.

– Wtedy wykorzystamy czek. Kupimy tę nową maszynę, którą zawsze chcieliśmy mieć, do automatycznego pakowania ziół. Nie będziemy musieli już robić tego ręcznie.

– Och, to byłoby cudownie – westchnęła uszczęśliwiona Ima Dobrutka. – Wreszcie zaczęlibyśmy porządnie zarabiać.

Patka i Pat przeprosili i wypadli z kuchni. Kłapciak biegł obok nich.

– Jeśli nam się nie śniło, że ratowaliśmy pociąg, jeśli rzeczywiście to zrobiliśmy, to mama i tata będą mieli swoją maszynę – powiedziała Patka.

– Nadal nie mogę uwierzyć, że to się działo naprawdę – odparł Pat.

– Dowiemy się, jak tylko znajdziemy „Vin Fiza".

Pat otworzył drzwi na ganek i bliźniaki wybiegły na dwór.

Ku ich przerażeniu „Vin Fiza" nie było.

– Och nie – jęknęła Patka. – Nie mieliśmy żadnej wielkiej przygody.

– Musieliśmy mieć – stwierdził Pat, rozglądając się po podwórku. Potem twarz mu się rozjaśniła. – Czekaj, może jest w stodole.

Wbiegli do stodoły.

– Zobacz! – krzyknęła Patka. – Wskazała na magiczną matę, gdzie spokojnie stał sobie malutki model „Vin Fiza", zbudowany przez brata. – Wcale nie zrobił się duży.

Pat był przygnębiony.

– Mhm – mruknął cicho, biorąc samolocik. – Wygląda tak samo. – Potem podniósł model do światła i dobrze mu się przyjrzał. Nagle otwo-

168

rzył szeroko oczy. – Tak, tak! To nie był sen. To wszystko się zdarzyło. To naprawdę się zdarzyło tak, jak to sobie wyobrażaliśmy.

Patka chciała uwierzyć bratu, ale miała zamęt w głowie.

– Co ty mówisz?

– Patrz! Patrz! – Pat pokazał palcem miejsce na modelu, między skrzydłami.

Spojrzała, przez sekundę nic szczególnego nie widziała, a potem to dostrzegła.

Oto, przed jej oczami, przywiązana do rozpórki skrzydła, wisiała buteleczka napoju gazowanego z winogron.

Ale to nie wszystko.

Do pilotki Kłapciaka leżącej na warsztatowym stole była przypięta maleńka odznaka szeryfa.

13

Szczęśliwe zakończenie

Kilka tygodni później nadeszła odpowiedź z Ohio. Krótka i prosta...

„Szanowny Panie Dobrutki

Czek na 10 000 dolarów jest Pański.

Podpisano: szeryf Szpila z hrabstwa Oglebee".

Było postscriptum: „Ma Pan dwoje wspaniałych dzieciaków".

Załączono torbę kości dla psa.

Państwo Dobrutcy byli przeszczęśliwi, że mogą wykorzystać pieniądze na kupno maszyny do pakowania ziół, i nigdy nie pytali, dlaczego

Szczęśliwe zakończenie

otrzymali taką fortunę. Następne zbiory poszły tak gładko, a maszyna pracowała z taką łatwością, że Dobrutcy po raz pierwszy ładnie zarobili na ziołach. Za dodatkowe pieniądze kupili farmę dalej przy drodze, wystawioną na sprzedaż. I wkrótce farma zielarska Dobrutkich była największa w stanie.

Kiedy przyszło następne lato, Patka i Pat pewnego poranka znów wślizgnęli się do stodoły, postawili model łodzi na magicznej macie, przesunęli dźwignię magicznego pudła i łódka urosła.

Ale to już inna przygoda...

Od autora

Vin Fiz dedykowany jest pamięci Calbraitha (Cala) Perry'ego Rodgersa, który w 1911 roku wykonał pierwszy lot transkontynentalny.

Tak, „Vin Fiz" istniał naprawdę. Zbudowali go bracia Wright, Orville i Wilbur, w swojej małej fabryczce w Akron, w Ohio. Rozpiętość skrzydeł „Vin Fiza" wynosiła dziesięć i pół metra; długość sześć i pół metra; wysokość dwa metry dwadzieścia centymetrów. Ważył czterysta dziesięć kilo, a napędzany był trzydziestopięciokonnym pionowym, czterocylindrowym

Od autora

silnikiem Wrighta. Silnik ten potrafił nadawać „Vin Fizowi" prędkość do siedemdziesięciu pięciu kilometrów na godzinę.

Cal Rodgers uczył się latać w szkole Wrightów. Po zaledwie dziewięćdziesięciu minutach nauki poleciał sam. W powietrzu czuł się jak w domu, latał na kilku publicznych pokazach i od Aeroklubu Ameryki otrzymał licencję pilota numer 49. W 1911 roku Cal przystąpił do wyścigu – kto jako pierwszy przeleci Stany Zjednoczone od wybrzeża do wybrzeża. Dopingiem było pięćdziesiąt tysięcy dolarów nagrody ustanowionej przez magnata prasowego Williama Randolpha Hearsta. Pieniądze miały być jednak wypłacone tylko wtedy, jeśli lot nie trwałby dłużej niż trzydzieści dni.

Wspierany finansowo przez Armour Company, która wprowadzała nowy napój bezalkoholowy „Vin Fiz", Rodgers rozpoczął swój wielki lot. Wystartował w Sheepshead Bay, w Nowym Jorku, 17 września 1911 roku. Jego nietrwały

samolot został pomalowany jasnożółtą farbą,
a zielony napis reklamował napój gazowany.

Czterdzieści dziewięć dni później, po wielu
twardych lądowaniach, które uszkadzały samolot, po niezliczonych usterkach technicznych
i okresach złej pogody, naprawiony „Vin Fiz"
wreszcie dotarł do mety – do Pasadeny w Kalifornii. Kilka dni później, po drodze do Long
Beach, gdzie Cal chciał wylądować na brzegu
Pacyfiku, zdarzył się wypadek. Tym razem Cal
został poważnie ranny, a „Vin Fiz" niemal uległ
zniszczeniu.

Ale Rodgers nie poddawał się łatwo. Nadal
chodząc o kulach, ze złamaną kostką, niecały
miesiąc później znów wzbił się w powietrze swoim ukochanym samolotem. „Vin Fiz" był prawie
całkowicie przebudowany. Przy wiwatach tysięcy ludzi wylądował na piaszczystej plaży, a „Vin
Fiz" wjechał kołami w wody Pacyfiku.

Podczas lotu w kwietniu 1912 roku doszło
do tragedii. Rodgers runął do oceanu i zginął.

Od autora

Dokładna przyczyna wypadku nigdy nie została ustalona. Ale leciał wtedy innym samolotem, więc „Vin Fiz" przetrwał. Przez długi czas „Vin Fiza" miała matka Rodgersa. Niedużo zostało z oryginalnego modelu, który dokonał widowiskowego lotu. Wiele lat później samolot zrekonstruowano i odrestaurowano, wykorzystując części używane podczas przelotu.

Dzisiaj „Vin Fiz" wisi w Narodowym Muzeum Lotnictwa i Przestrzeni Kosmicznej (Instytut Smithsona) i można go tam oglądać.